CHIENS
HORS DU COMMUN

Données de catalogage avant publication (Canada)
Dehasse, Joël
  Chiens hors du commun: des amis aux pouvoirs déroutants
  (Nos amis les animaux)

1. Chiens – Aspect psychique.
2. Chiens – Mœurs et comportement.
3. Perception extra-sensorielle chez les animaux.
4. Conscience chez les animaux.
5. Relations homme-animal.   I. Titre.   II. Collection.

SF433.D43 1996   599.74'442   C96-941017-4

© 1996, Le Jour,
une division du groupe Sogides

Dépôt légal: 4ᵉ trimestre 1996
Bibliothèque nationale du Québec

ISBN 2-8904-4605-0

DISTRIBUTEURS EXCLUSIFS:

• Pour le Canada et les États-Unis:
  LES MESSAGERIES ADP*
  955, rue Amherst,
  Montréal, Québec
  H2L 3K4
  Tél.: (514) 523-1182
  Télécopieur: (514) 939-0406
  * Filiale de Sogides ltée

• Pour la Belgique et le Luxembourg:
  PRESSES DE BELGIQUE S.A.
  Boulevard de l'Europe, 117, B-1301 Wavre
  Tél.: (10) 41-59-66
       (10) 41-78-50
  Télécopieur: (10) 41-20-24

• Pour la Suisse:
  TRANSAT S.A.
  Route des Jeunes, 4 Ter,
  C.P. 125, 1211 Genève 26
  Tél.: (41-22) 342-77-40
  Télécopieur: (41-22) 343-46-46

• Pour la France et les autres pays:
  INTER FORUM
  Immeuble PARYSEINE,
  3 Allée de la Seine, 94854 IVRY Cédex
  Tél.: (1) 49-59-11-89/91
  Télécopieur: (1) 49-59-11-96
  Commandes: Tél.: (16) 38-32-71-00
                Télécopieur: (16) 38-32-71-28

nos amis les animaux

Dr Joël Dehasse

Des amis
aux pouvoirs
déroutants

CHIENS
HORS DU COMMUN

le jour,
éditeur

Préface

Vous, les humains, vous ne savez qu'être humains!

Si vous acceptiez de partir à la découverte d'autres univers mentaux, vous découvririez des continents où une sensorialité jamais éprouvée vous permettrait de vivre dans des tableaux ultraviolets, des musiques ultrasonores et des parfums palpables qui rempliraient pour vous une quatrième dimension.

Si vous alliez chez les chiens, vous toucheriez avec le nez des échantillons d'odeurs qui rendraient encore présent celui qui n'est plus là. Si vous alliez chez les chats, vous palperiez par vos oreilles l'origine d'un son dans l'espace éloigné. Si vous étiez serpents, vous éprouveriez par le corps la moindre variation de la température des autres qui vous ferait sentir comme une brûlure sur votre peau la moindre variation de l'émotion des autres.

Quelles que soient les espèces, vous apprendriez à penser en agençant d'autres représentations que celles de vos mots.

Il ne s'agit pas de vous réduire à l'animalité. Au contraire même, Joël Dehasse vous invite à rester humains et à partir en expédition à la découverte de ces chiens hors du commun.

Il est possible que leurs étonnantes performances soient banales dans un monde de chiens. C'est nous qui en faisons un mystère parce que nous ne savons pas les voir. Le fait de vivre au quotidien avec ces chiens humanisés, le fait d'apprendre à les penser différemment autorise Dehasse à tenter quelques questions surprenantes.

Ce qui est parapsychologique pour nous, les hommes, peut être banalement psychologique pour eux, les chiens. Il faudrait alors apprendre à mieux les observer, pour mieux comprendre leur monde mental.

Sans compter le vieux piège de l'observation, où ce qui apparaît dans un monde humain n'a aucune relation avec ce qui est réel dans un monde de chiens. C'est l'impression qu'ils nous font, qui crée cette apparence de magie. Comme ils ne savent pas parler avec nos mots, comme nous ne savons pas toujours les comprendre, il y a entre les hommes et les chiens un intense désir de communication, souvent piégé par les contresens. Les chiens ont tendance à croire que nous leur donnons le pouvoir, alors que nous désirons seulement échanger de l'affection. Et, à l'inverse, les hommes ont tendance à croire qu'ils réalisent des performances intellectuelles surprenantes, alors qu'ils ne font que répondre à des informations banales pour eux.

Ce qui n'empêche que ce petit livre est bourré d'informations passionnantes, jolies, intelligentes, amusantes, bien vues, et parfois trop vite interprétées. Cela n'a aucune importance, car l'hypothèse scientifique est souvent proche de la poésie.

Ce qui compte, c'est EURÊKA! avoir l'idée. La méthode fera le reste. Ce livre est plein de belles idées et d'anecdotes amusantes… qui donnent à penser.

Dr Boris Cyrulnik

Préface à la seconde édition

Comme l'écrit Boris Cyrulnik: «Nous, les humains, nous ne savons qu'être humains!»

Peut-être un jour, nous, les humains, parviendrons-nous à réaliser le «phénomène du centième singe».

Quand les éthologistes de l'université de Kyoto ont observé les macaques de l'île de Koshima, ils ont vu un jour une jeune femelle de 18 mois ôter le sable qui collait à la surface d'une patate douce en la jetant dans l'eau de mer. Après l'avoir nettoyée, elle s'en délecta. Les autres singes, par contre, mangeaient des patates pleines de sable.

Ah, l'inventivité de la jeunesse! L'innocence des jeunes pas encore imprégnés par leur culture.

Imo, c'est ainsi que fut baptisée cette géniale adolescente, enseigna le truc à sa mère ainsi qu'à ses copains et copines, qui s'empressèrent de montrer la technique à leur propre mère.

Chose insupportable que l'inversion du processus éducatif, quand celui qui ne sait pas apprend à celui qui sait!

En six ans, entre 1952 et 1958, tous les jeunes macaques avaient appris à nettoyer leurs patates à l'eau de mer. Les adultes (les vieux, sans intention injurieuse), qui n'avaient pas d'enfant intelligent, continuaient à manger des patates pleines de sable qui crissaient sous les dents.

Brusquement et mystérieusement, en automne 1958, du jour au lendemain, quasiment tous les macaques lavaient leurs patates. Simultanément, sur d'autres îles, des macaques s'étaient mis à laver les patates.

Ce curieux phénomène fut appelé le «phénomène du centième singe». Peut-être est-il apparenté à ce que Jung décrivait sous le nom d'«inconscient collectif»?

Le nombre réel n'est pas connu, était-ce réellement cent? Dès qu'un certain nombre de singes avait acquis ce comportement, toute la colonie ainsi que d'autres colonies n'ayant aucun contact avec la première adoptaient ce même comportement. Jusqu'à présent, personne ne s'explique ce phénomène. C'est comme si un point critique de non-retour était atteint et qu'ensuite une nouvelle organisation apparaissait, avec une nouvelle conscience collective, au-delà des frontières de l'espace.

Ce chiffre varie suivant le concept et la population.

Dans le cas des phénomènes étranges qui se passent entre les humains et les chiens, quel sera le chiffre? Cent mille, un million, un milliard? Plus vous serez nombreux à en prendre conscience, plus un chiffre élevé sera atteint. Est-ce que ce sera demain, dans dix ans, dans cent ans? Peu importe. Un jour proche, je pense, le point de non-retour sera atteint et l'humanité acceptera de nouveaux cadres de pensées, incluant la nécessité de s'occuper du comportement de nos chiens et d'accueillir les phénomènes étonnants dont je parle dans ce livre.

Ce jour-là, au lieu de dire «c'est impossible», on dira sans doute «c'est possible, mais je ne sais pas pourquoi, et je vais essayer de le savoir». Nous serons alors plus riches de tolérance, d'ouverture d'esprit, de connaissances, d'empathie...

Faut-il croire à tout ce fatras d'idées et d'anecdotes qui se trouve dans ce livre? Surtout pas. Ne croyez surtout à rien! La croyance (cet ensemble d'idées imprimées dans notre cerveau au fer rouge par l'éducation parentale, la culture et l'expérience personnelle et qui dirige nos actes), tout comme l'incroyance, la superstition, la religion ou la foi, n'a rien à voir avec la prise de conscience. Tout ce que je vous demande, c'est d'observer, d'ouvrir vos yeux et vos oreilles...

La science d'aujourd'hui a démontré que, même dans les sciences dites exactes comme la physique, l'observation dépendait des croyances de l'observateur. Ce sera donc très difficile de mettre les vôtres de côté pour observer naïvement et objectivement des choses nouvelles. La solution serait alors d'adopter la méthode scientifique: «Admettons que ce gars ait raison — même si je n'en crois rien — admettons, pour l'objectivité de la science, que son hypothèse soit basée sur des recherches et des observations, que se passerait-il...?

Paraphrasons Robert-Louis Stevenson qui conseillait à ses lecteurs de se familiariser avec les manières (habitudes ou éléments culturels) des différentes nations avant de se faire une opinion d'elles: «Essayons les perceptions, les comportements ainsi que les états d'humeur et de conscience des chiens avant de juger de leur intelligence, de leur psychologie, voire de leur parapsychologie...»

Mais, bien sûr, c'est impossible. Car «Vous, les humains, écrit Boris Cyrulnik, vous ne savez qu'être humains!» Malgré tout, ne pourrions-nous pas tenter l'aventure?»

Dr Joël Dehasse

L'univers,
tel que nous le percevons,
n'est pas à prendre au sérieux.

Introduction

Être un chien, à quoi cela peut-il bien correspondre?

Penser chien, à quoi cela peut-il bien ressembler?

Le chien est doué de pensée, de raison et de conscience.

Et déjà cette affirmation heurtera plus d'un lecteur, mais en réjouira bien d'autres.

Si la conscience animale est souvent un tabou[1] dans le monde scientifique *orthodoxe,* que dire alors de l'extrasensorialité[2]? Un certain monde scientifique n'est pourtant ni aveugle ni sourd à la conscience animale.

Mais avant de dire que le chien possède des facultés parapsychiques, peut-être faut-il connaître avant tout ses facultés psychiques et sensorielles, ses capacités de communication, ses souffrances émotionnelles, ses troubles de l'humeur?

Une nouvelle génération de vétérinaires s'occupe activement de cette question: des vétérinaires éthologues ou psychiatres, au gré de leurs appellations. Nous en toucherons un mot dans un prochain chapitre.

Mon intention en écrivant ce livre n'était pas de vous donner un relevé exhaustif — et assommant — d'idées, de pensées, de credos et de contradictions philosophiques et scientifiques sur les divers états de conscience du chien, mais de butiner quelques anecdotes et quelques expériences pour vous donner un aperçu de ce monde étrange, des pouvoirs étonnants des chiens ordinaires. Je pense que le lecteur-ami-des-chiens a le droit d'être informé et une masse d'informations ne lui était toujours pas accessible jusqu'ici. Ces informations étaient publiées bien souvent en anglais ou dans des revues très spécialisées, enfouies dans des bibliothèques inaccessibles. Le lecteur est capable de se faire une opinion sur les états de conscience du chien; encore faut-il qu'il ait à sa disposition les renseignements adéquats. Ce sera, je l'espère, désormais chose faite.

Bien sûr, les livres et les articles consultés sont malheureusement tous, sans la moindre exception, écrits par des *êtres humains.* Il n'est pas étonnant que l'animal y soit testé, puis jugé avec un *impérialisme anthropomorphique, anthropocentrique,* voire, pour utiliser un néologisme créé par Cyrulnik, *anthroposnobique.* L'observateur ne voit qu'une part subjective de ce qu'il examine; en somme, il recueille plus d'informations sur lui-même que sur l'objet de son observation.

Le chien est donc la victime de nos pensées, de nos fantasmes, de nos désirs, de notre culture, de nos convictions et même de notre amour.

Dès lors, demandons-lui humblement qu'il nous pardonne nos conjectures et nos fautes méthodologiques. Nous ne sommes que des êtres humains, après tout!

Alors, si vous désirez passer un bon moment à parler du chien, de son psychisme, de ses idées, de sa conscience, suivez le guide… Embarquez pour ce voyage étonnant en direction du… psi!

Comment cela a peut-être commencé!

Une énigme

La relation qui débuta entre l'homme et l'ancêtre du chien repose probablement sur des pratiques communes aux deux espèces: chasser et aussi «fouiller les ordures»; les poubelles d'aujourd'hui étaient les restes de proies laissées par d'autres prédateurs dans les temps préhistoriques. Tous deux, l'homme et le chien, chassaient et vivaient en groupes sociaux. Tous deux attaquaient des animaux d'une taille supérieure à la leur et partageaient leur proie avec les autres membres du groupe, aidant ainsi les chasseurs moins aptes à se nourrir. Tous deux communiquaient par des mimiques faciales et des gestes corporels, transmettant à autrui pensées et émotions. Tous deux suivaient les hordes migrantes des grands animaux.

Ils avaient beaucoup en commun. Les hommes ont observé les techniques de chasse des chiens et les chiens sont venus manger les restes des chasses des humains (ou peut-être était-ce l'inverse?), s'attachant à leurs pas et à leurs feux.

Des humains ont mangé des chiens et des chiens ont mangé des humains. Des humains ont gardé les petits des chiennes et les ont élevés. L'empreinte humaine sur un chiot de trois semaines modifie la notion d'identité de l'animal. Ensuite, peut-être en gardant ceux que l'on pouvait domestiquer le plus facilement et en les croisant les uns avec les autres, on a obtenu l'ensemble des races connues aujourd'hui.

D'autres avis

Meggit, cité par Fox, met en doute cette association à la chasse entre homme et chien. À partir de multiples observations de dingos en Australie, il remarqua que ce canidé était l'un de ceux qu'il est impossible d'éduquer malgré son association étroite avec les aborigènes: il sert d'éboueur pour les campements, de chien de garde occasionnel et de couverture contre le froid nocturne. Sa coopération n'est réelle que dans les forêts tropicales humides. Il semble en être de même du Basenji en Afrique.

Pour Meggit, cela n'a pas commencé par une coopération de chasse, mais le chien a d'abord été un compagnon de campement, un suiveur et un gardien qui avertissait l'homme de la présence d'étrangers. Ce n'est que par la suite que sa coopération active à la chasse et à la défense aurait vu le jour et que sa domestication se serait engagée.

Son rôle de gardien est lui aussi remis en cause par Paul Yonnet; il suffit pour s'en convaincre d'observer les chiens sauvages actuels, la plupart du temps silencieux. L'aboiement du gardien ne serait en fin de compte qu'une des autres manifestations de la domestication du chien ancestral silencieux[3].

Et récemment...

À l'époque romaine, on connaissait déjà les chiens de garde *(villaciti)*, les chiens de berger *(pastorales pecuarii)*, les chiens de sport *(venaciti)*, les chiens de guerre *(pugnaces* ou *bellicosi)*, les chiens de pistage à l'odeur *(nares sagaces)* et les chiens de pistage à la vue *(pedibus celeres)*.

En Grèce, déjà, on gardait les chiens de chasse comme animaux de compagnie. On retrouve des traces de chiens, genre bichons, à poil long et soyeux, depuis l'époque pharaonique, au Ve siècle avant J.-C. L'ancêtre du bichon était populaire dans la Grèce antique et dans l'Empire romain. Ces petits chiens jouets étaient nourris de mets délicieux, couchés sur des couvertures ou des peaux, et vivaient dans le plus grand luxe.

Comme l'écrit Jean-Pierre Digard: «L'homme a décidément tout fait subir au chien[…] Aucun autre animal n'a connu de telles inégalités de statut et de traitement: adoré ou honoré là (dans l'Égypte pharaonique, au Japon), il est méprisé et malmené ailleurs (en Islam, en Afrique)[…]. Plus qu'un compagnonnage, il y a donc, entre l'homme et le chien, les principaux ingrédients d'un véritable mariage: le meilleur et le pire.»

Récemment, on en est presque venu à ne voir le chien que comme un compagnon. C'est un rôle social très exigeant et pas toujours valorisant. Se plier aux règles sociales, parfois fantaisistes, d'un être humain est loin d'être une entreprise aisée pour l'animal.

Le culte du chien

De 14 000 ans av. J.-C. au Moyen Âge

Fin de l'âge paléolithique, environ 12 000 ans av. J.-C., à Pelegawra en Iraq. On retrouve dans une caverne les traces d'un habitat humain et les restes d'un chien, preuve que le chien est bien le premier animal domestiqué. D'autres preuves ont été découvertes en Israël (12 000 av. J.-C.), en Idaho (10 400 av. J.-C.), en Angleterre (9 500 av. J.-C.), en Anatolie (9 000 av. J.-C.), en Russie (9 000 av. J.-C.), en Australie (8 000 av. J.-C.), en Chine (6 500 av. J.-C.), dans le Missouri (5 500 av. J.-C.). On retrouve des restes enfouis de chiens dès 6 500 av. J.-C. un peu partout dans le monde.

Cynopolis, Égypte. On nourrit les chiens dans la ville.

Cynopolis toujours. Un chien meurt. Les habitants de la maison se rasent la tête et le corps en signe de deuil. La nourriture alors présente dans la maison est jetée. Et l'on vénère Anubis, le dieu à tête de chien.

Égypte encore: Lycopolis, la ville du loup. Les gens imitent les loups vénérés en mangeant rituellement de la viande de mouton.

Grèce. Apollon est parfois considéré comme le dieu-loup.

Inde. La représentation la plus effrayante de la déité hindoue Siva est Bhairava, le dieu-chien.

Chine. Le bouddhisme entre en Chine. Les Indiens avaient fait du lion le symbole suprême du bouddhisme; les Chinois ne connaissent pas le lion, ils ne connaissent que le pékinois qui ressemble aux dessins des Indiens, ils en feront le fameux chien-lion.

Tibet. L'épagneul tibétain est tellement prisé qu'il fait partie du tribut payé annuellement aux empereurs de Chine par les dynasties dirigeantes de Lhassa. Il est dit que l'âme des lamas qui n'ont pas eu une vie aussi bonne qu'ils auraient dû entre dans le corps des apso (Lhassa apso).

En Amérique du Sud, certaines tribus croient que la vie humaine a été libérée du monde souterrain par un chien ayant gratté la terre.

Pérou. Quand les Incas conquirent ce pays, ils découvrirent dans le temple de Huanca la statue d'un chien considéré comme la déité suprême.

Bornéo. Les Kalangs, tribu du Nord, adorent un chien rouge et chaque famille garde dans sa maison une effigie de bois de ce dieu. À leur mariage, les époux sont enduits des cendres d'un chien rouge.

Égypte. Les prêtres d'Anubis portent des masques de bois en tête de chien avec un museau et des oreilles noires ainsi que de larges bandes noires en travers de la poitrine.

Rome. Un homme qui désire sortir de la ville incognito emprunte à un ami un masque de chien et passe par les rues en imitant les célébrants du culte du dieu-chien.

Italie. Les gnostiques (du Ier au IIIe siècle après le Christ) confondirent les représentations d'Anubis et du Christ et représentaient le dieu-chien avec les bras en croix.

Iconographie des médecins divins. Les chiens sont omniprésents. Différentes parties du corps du chien sont utilisées par la médecine populaire et son sang sert à exorciser les démons de la maladie.

Amérique du Nord. Les Iroquois sacrifiaient de façon rituelle un chien pour l'envoyer comme messager au Grand Esprit.

La croyance en la déité du chien conduisit à des sacrifices rituels non seulement chez les Iroquois mais aussi chez les Mexicains, les Péruviens et les Chinois.

Jamaïque. Les chiens sans poil sont appelés les «chiens de fièvre» et placés contre les gens malades pour leur enlever la fièvre.

Oldenbourg. Une personne fiévreuse place devant un chien un bol de lait tiède et fait une prière: «Bonne chance, chien; j'espère que tu deviendras malade et que je retrouverai la santé.»

Au Moyen Âge, on associe le chien à la rage et la rage à la peste. On fait du chien le partenaire de la magie noire. Le diable prend parfois l'aspect d'un chien noir pour participer aux rencontres des sorcières. On raconte que les francs-maçons embrassent le derrière du diable représenté par un caniche noir.

Goethe. Dans un texte du poète, Méphistophélès apparaît comme un caniche noir.

Au XIIIe siècle, François d'Assise s'entoure d'animaux et montre que l'amour de tout ce qui nous entoure est une voie vers le Seigneur. Certains tableaux le représentent avec une tête de chien.

Dole, France, 1573. Gilles Garnier est brûlé vif: il a reconnu avoir dévoré plusieurs enfants alors qu'il avait pris la forme d'un loup-garou. Le lycanthrope, homme-loup ou homme-chien, revient à la mode, une fois de plus.

De l'usage du chien...

La chair du chien a été consommée autant dans l'Europe néolithique qu'en Amérique précolombienne et elle l'est encore dans certains pays d'Asie. Il n'y a pas si longtemps, on mangeait du chien en Allemagne; à Munich, la dernière boucherie canine a fermé ses portes entre les deux guerres.

Les poils de chien étaient encore filés et tissés dans les Pyrénées au XIXe siècle. Les chiens bobtail fournissaient plus de 2 kilos de laine par an. Cette laine fut encore utilisée pendant la guerre 1914-1918 pour fabriquer de chauds vêtements.

Chiens de travail

Chien de garde et de défense, de troupeau, de combat, de chasse en tous genres, il sert ailleurs à tracter des traîneaux ou des carrioles, à faire tourner les broches et les moteurs des rémouleurs. Chien de recherche de disparus, de drogue, de truffes, le voilà converti à guider les aveugles, à entendre pour les sourds, à faire les courses des handicapés moteurs, à soigner les déprimés, à responsabiliser les enfants, à aimer et à être aimé, jusque dans les excès de la zoophilie.

Sparkey, écrit Brad Steiger, a le nez fin. Ce beagle talentueux est sous les ordres de superviseurs de l'aéroport O'Hare à Chicago. Il fait partie d'une brigade de 8 chiens beagle, dressés à renifler les aliments dont l'importation est illégale aux États-Unis. Chaque chien nécessite un entraînement coûteux, dépassant les 25 000 $. Ces chiens n'intimident pas les gens et sont donc considérés comme parfaits pour ce travail.

Orient, raconte Sherry Hansen, est un berger allemand pas comme les autres. Son maître, Bill Irvin, a relevé le défi de traverser les Appalaches sur une longueur de 2144 milles à travers forêts, torrents et cascades. Bill, 51 ans, est aveugle. En mars 1990, Bill et Orient se sont engagés sur les chemins sauvages, tous deux chargés d'un lourd sac à dos. En quelques jours, Orient avait les pattes en sang. Alors Bill se chargea du sac d'Orient. Couchés l'un près de l'autre la nuit, ils écoutaient les chants de la forêt et les cris des animaux sauvages. Après de nombreuses chutes, fractures de côtes, traversées de torrents tumultueux, Bill et Orient ont réalisé l'inimaginable exploit, en 8 mois.

La polyvalence des compétences de nos chiens de compagnie est énorme. Outre les chiens pour malvoyants et les chiens pour malentendants, il y a aussi les chiens pisteurs. L'A.R.D.A. est une association américaine de chiens de sauvetage (American Rescue Dog Association). Cette association a plus de 90 p. 100 de réussites dans les cas qui lui sont confiés. Leurs éducateurs travaillent gratuitement. Les chiens ont été entraînés à pister tête haute plutôt que de renifler au ras du sol. Les recherches se font partout où les personnes ont disparu, des dépôts d'ordures aux bâtiments détruits par le feu. Sherry Hansen raconte que ces superchiens subissent un an d'entraînement intensif avant d'être appelés par les autorités judiciaires pour retrouver des disparus.

La mode de l'animal de compagnie...

Au XIXe siècle, l'animal de compagnie devient à la mode.

Angleterre, 1830. La reine Victoria joue le rôle de protectrice d'un groupe de défense animale qui se nommera la Société royale pour la prévention de la cruauté contre les animaux.

Aux États-Unis, on recense en 1876 une bonne vingtaine de S.P.A. (Sociétés de protection des animaux). Des lois pour la protection des animaux sont promulguées. Les S.P.A. ont vu le jour avant les Sociétés de protection des enfants, mais cela change en 1874, après qu'un cas de sévices à l'encontre d'une petite fille ait été défendu publiquement avec succès en relation avec les lois sur la protection des animaux: il est affirmé alors que les enfants sont, en fait, des animaux.

Au XXe siècle, l'évolution se précipite.

Mais en Asie, où il reste des populations importantes de chiens errants, l'animal est craint et l'on établit peu de liens d'attachement avec lui. De plus, on a peu envie de nouer des relations d'affection avec la bestiole que l'on va manger. En Occident, ce n'est (presque) plus le cas et le chien entre dans les maisons et dort dans les lits. L'industrialisation a diminué la taille des familles et le chien y a gagné un statut plus élevé, remplaçant un membre de la famille.

Dans les sociétés de haute technologie, médicalisées, hygiéniques, on prend le chien dans les maisons. Dans les autres sociétés, plus pauvres, le chien reste banni du foyer. Pour que se forme une relation étroite entre l'animal et l'homme, il faut que la menace éventuelle pour la santé humaine soit réduite à un degré extrêmement faible.

Dans les années soixante, de grandes campagnes de presse jugèrent immoral l'attachement aux animaux alors qu'il y avait tant de pauvreté dans le monde.

Chiens thérapeutes

Après les années soixante-dix, le vent tourne et l'on se rend compte que l'attachement aux animaux familiers est un *facteur de santé psychologique* dans nos sociétés modernes fortement urbanisées. Chiens et chats entrent dans les prisons, les hospices, les maisons pour handicapés ou pour mésadaptés sociaux, dans les hôpitaux, et cela, indépendamment des chiens dressés pour aider les aveugles, les sourds, les handicapés physiques, etc. L'animal en est arrivé à activer, à faciliter et à catalyser la communication ainsi que la santé psychique et physique.

En voici un exemple adapté de B. Steiger.

En septembre 1992, Rachel Morrison, 11 ans, tombe d'un «roller coaster» dans un parc d'attractions. Elle fait une chute de plus de 7 mètres. Les médecins estiment qu'elle a souffert d'une atteinte cérébrale et qu'elle pourrait bien rester à l'état végétatif le reste de sa vie. Le 7 octobre, Rachel commence une «thérapie par l'animal» à l'institut Baylor de réadaptation à Dallas. Des chiens sont présentés à Rachel, qui se met à répondre à quelques demandes simples. Mais ses réponses sont très limitées et elle reste dans sa chaise roulante, muette, indifférente au monde environnant. La directrice du programme de réadaptation, Shari Bernard, lui amène un jour un chien de berger australien, Belle. Shari Bernard demande à Rachel: «Qu'est-ce qui manque à Belle?» Les bergers australiens subissent une caudotomie; ils n'ont pas de queue. Rachel répond: «Une queue.» Le soir même, elle parlait au téléphone avec ses parents.

Rachel dira plus tard: «J'adore être avec les chiens. Belle m'a donné envie de parler à nouveau.»

De nouvelles voies de recherche s'ouvrent à qui porte attention aux anecdotes ou aux observations individuelles. Des chiens ont révélé des comportements particuliers dans l'heure qui précède les crises convulsives de leur propriétaire épileptique. Ce sont essentiellement des manifestations d'inquiétude (gémir, aboyer, tourner en rond) et de soin comme ceux qu'une chienne-mère pourrait avoir avec ses chiots (pousser la personne du nez, la lécher, etc.).

Le Dr Andrew Edney a publié en 1993 dans *The Veterinary Record* une analyse concernant 37 chiens non dressés appartenant à des propriétaires épileptiques: 21 chiens ont montré des signes d'inquiétude avant une crise et 25 au moment où la crise commençait (ce qui est bien compréhensible).

Actuellement, personne ne peut dire quels signes alertent le chien: est-ce une odeur, un comportement du propriétaire? Les épileptiques eux-mêmes sont souvent avertis de l'imminence d'une crise convulsive par ce que l'on appelle l'aura de la crise: ils ont des picotements dans les membres ou une sensation d'odeur particulière. Cela s'explique aisément par l'embrasement électrique des cellules cérébrales lors d'une crise d'épilepsie. Ce que le chien en détecte est encore aujourd'hui mystérieux.

Un chien a détecté un arrêt respiratoire chez un bébé de 9 jours. Et il a répété l'exploit 9 mois plus tard, lui sauvant la vie à deux reprises.

Tiffany Burn, 9 jours, souffrait d'un trouble respiratoire, sans doute celui qui est à l'origine du syndrome de la «mort subite» chez le nourrisson, un arrêt respiratoire persistant (apnée) pendant le sommeil, apnée qui provoque la mort si l'enfant n'est pas réveillé à temps, mais cela, sa maman, Joan, ne le savait pas. Peter, le jeune berger allemand de la famille, se précipita dans la chambre de Joan et réussit à l'entraîner dans la chambre de Tiffany. Là, Joan fut horrifiée à la vue du visage tout bleu de son bébé en pleine asphyxie. Elle put la sauver à temps. Neuf mois plus tard, le même événement eut lieu. Peter sauva deux fois la vie de Tiffany qui, désormais, dormit sous «monitoring».

Brad Steiger raconte aussi cette anecdote qui pourrait un jour conduire à des recherches scientifiques intéressantes.

Un chien de race mêlée, d'âge inconnu et nommé Baby, présenta brusquement un changement de comportement qui inquiéta sa propriétaire, Bonita Whitfield. Baby, un chien extrêmement gentil et sans agressivité aucune, se mit à vouloir lécher et happer sans cesse une zone à l'arrière de la cuisse de Bonita. Après examen, elle constata qu'il y avait une petite pro-

tubérance cutanée à cet endroit. Baby restait obnubilé par cette tache et sautait sans arrêt pour la mordiller. Après quelques mois, Bonita se rendit compte que la tache croissait. Un examen dermatologique révéla qu'il s'agissait d'un mélanome cancéreux, qui fut chirurgicalement enlevé avant d'avoir envahi les tissus environnants.

Mais des recherches complémentaires sont nécessaires pour déterminer si d'autres chiens ont les mêmes capacités et, si cela se confirmait, pour connaître la base d'informations leur permettant de détecter précocement des tumeurs cutanées cancéreuses.

D'autres chiens semblent aussi détecter l'hypoglycémie des propriétaires diabétiques qui se seraient injectés trop d'insuline. Et ce n'est pas tout.

Sarah Jacobs est technicienne vétérinaire. Comme le raconte Brad Steiger, elle est particulièrement fière de son mastiff de 80 kilos. En 5 ans, ce chien a donné 40 litres de son sang pour sauver la vie d'une cinquantaine de chiens. Ce gros toutou, véritable banque de sang mobile, est d'une telle bonhomie qu'il s'endort lors des prélèvements sanguins.

Cette anecdote se fait révélatrice d'une situation répandue: partout sur terre, des chiens donnent leur sang pour en sauver d'autres. Bien entendu, ils ne le font pas volontairement, mais ils le font pour une bonne cause et sans en subir de répercussions fâcheuses: l'éthique vétérinaire le garantit.

Friend est une infirmière à plein temps. Elle s'occupe de Linda, qui est clouée sur une chaise roulante à cause de la sclérose en plaques. Elle surveille Jennifer, une gamine de 5 ans, et aussi le bébé, s'assurant que l'une et l'autre ne pratiquent pas d'activités dangereuses. Friend est une golden retriever de 3 ans.

Inky fait trois rondes tous les jours à l'hospice St-John, à Lakewood au Colorado. Inky visite spécialement les malades en phase terminale. Inky est un croisé chihuahua noir de 5 kilos.

Buddy fait le même travail à Mesa, en Arizona, dans une unité pour cancéreux. Il fait ses tournées en se déguisant, en portant des costumes *colorés et des chapeaux. Buddy a été sauvé dans une S.P.A. où il devait être euthanasié.*

Ces quelques anecdotes, reprises à Brad Steiger et à Sherry Hansen, ne sont pas des exemples uniques. Aux États-Unis, 8000 chiens, vous lisez bien 8000, ont été enregistrés comme chiens thérapeutes. Dans les pays francophones également, leur nombre ne fait que croître.

En même temps, certains vétérinaires et autres cynologues s'attachent à étudier le comportement des animaux familiers et à résoudre les conflits comportementaux croissants entre le chien et ses propriétaires humains. L'accent est mis sur l'harmonie des relations entre gens et animaux. Des consultations en comportement du chien s'ouvrent dans les universités et dans certains cabinets privés (encore rares). Toute la médecine vétérinaire profite de ce nouvel engouement pour le *pet* (animal familier), comme disent les Anglo-Saxons. Elle se détourne de l'hygiène et des soins au bétail pour s'accaparer l'animal de compagnie, et cela s'accompagne de toute une technologie jusque-là réservée aux humains.

On exige du vétérinaire des qualités pour lesquelles il[4] n'a pas été formé (psychologie humaine): il devient un assistant social et son travail empiète sur la vie privée des gens: on lui demande des conseils pour supporter la mort d'un animal chéri, pour remplir les vides de son existence à l'aide d'un animal particulier; les gens se confient à lui, il doit tempérer leurs émotions, calmer les pleurs, bref, on lui demande de faire du travail social.

Le vétérinaire est désormais chargé d'un nouveau rôle dans la «santé publique». Il doit faire, en plus de son intervention médicale stricte, des choix moraux, éthiques entre le respect des droits de l'animal et la demande des propriétaires (et il existe des conflits d'intérêts entre les deux parties).

Chiens objets

En même temps que se développe un intérêt énorme pour la relation avec les animaux de compagnie (on compte 1 chien pour 10, voire 5 habitants dans nos pays riches, industrialisés et urbanisés à l'extrême et l'on dénombre désormais plus de chiens et de chats que d'enfants), les S.P.A. regorgent d'animaux pour lesquels on ne trouve pas de foyer et qui sont, en majorité, tués. Aux États-Unis, ce sont plus de 10 millions d'animaux qui sont ainsi *piqués,* supprimés, chaque année (sur 110 millions de chiens et de chats).

Paradoxe cruel?

Paradoxe de l'homme qui se dégage de sa responsabilité de meurtre de l'animal chéri et la délègue à un bourreau anonyme d'une société dite de protection mais qui, réellement, dans les faits et devant l'ampleur du désastre quotidien des abandons, devient un organisme de destruction. Mais que peuvent-elles faire d'autre? Les S.P.A. ont rendu ce mauvais service à l'humanité égoïste à la recherche de son confort physique et moral: l'homme irresponsable ne garde plus de l'animal que le bon qu'il lui donne, et divorce du mauvais dont il le rend responsable. Ce comportement n'est pas réservé aux animaux, loin de là, il s'étend aux malades, aux moins valides, aux personnes âgées, au conjoint qu'on ne supporte plus. Mais l'animal, qui ne sert plus ou qui n'a pas adopté le rôle qu'on attendait de lui, subira la punition capitale.

Est-ce moral? Est-ce immoral?

Est-il moral de noyer ou de chloroformer des chiots nouveau-nés? Est-il moral pour un Asiatique de manger du chien, pour un Occidental de manger de la vache ou du cheval? Est-il moral pour un scientifique d'expérimenter sur l'animal?

Il n'y a pas de réponse simple!

De l'asservissement de l'animal à celui de l'homme

L'histoire du chien a été marquée par ses utilisations nombreuses et variées. L'histoire contemporaine montre une nouvelle spécialisation canine, celle de l'inactivité: l'aptitude *à ne rien faire* si ce n'est d'être présent quand notre main veut caresser une fourrure, de se taire quand on parle, d'être le compagnon asexué de nos solitudes et l'oreille attentive de nos épanchements verbaux et émotionnels.

Ce tableau vous déplaît? Regardez autour de vous: combien de groupes humain-chien ne satisfont-ils pas cette description?

Bien sûr, c'est exagéré! Les chiens de travail (d'avalanche, pour aveugles, pour sourds, etc.) sont des aides incomparables. Le chien de tout le monde remplit les maisons d'une vie active, mais c'est aussi vrai que le chien est devenu un hôte permanent: l'animal au foyer est nourri, gavé, choyé, brossé, promené, toiletté, lavé, juste en échange de son amitié.

Nous n'irions tout de même pas jusqu'à dire, comme Paul Yonnet, qu'on a transformé le chien, animal utile, en un prédateur ménager nuisible. Et pourtant! Il est possible que Paul Yonnet soit proche de la vérité! L'anecdote suivante semblerait le confirmer.

Concetta Quattrochi de Catania, en Sicile, écrit B. Steiger, aime tant les chiens qu'elle s'est ruinée pour eux. Elle vit actuellement grâce à des dons. Son mari l'a quittée. Elle a transformé sa maison de 26 chambres en refuge pour chiens. Elle recueille tous les chiens qu'on lui amène et vit aujourd'hui avec 800 chiens et 150 chats. Et elle les connaît tous par leur nom.

Le chien psycho-analysé

Peut-on psychanalyser un chien?

Non, on ne peut pas psychanalyser le chien mais on peut le psycho-analyser! Et ce jeu de mots nous permet de dire que si le chien ne peut pas encore nous raconter ses pensées, il peut tout de même nous les faire connaître, car il a son langage et nous sommes désormais capables de l'interpréter. Car, en fin de compte, nous ne sommes plus au temps de Descartes et la thèse de l'*animal-machine* n'a plus vraiment cours aujourd'hui.

Cartésiens et behavioristes

Rappelez-vous! Pour Descartes (1596-1650), l'animal n'est pas sensible, ne pense pas et n'a pas de langage. Oh! combien avait-il tort! Les éthologues montrent que le langage animal existe bel et bien, même s'il n'est pas constitué de paroles symboliques.

Malebranche (1638-1715), un bon père de l'Église pourtant, continua sur la lancée cartésienne et affirma qu'un chien pouvait être battu puisqu'il ne le sentait pas: «Les animaux mangent sans satisfaction, crient sans souffrance, se reproduisent sans le savoir, ne souhaitent rien, ne craignent rien.»

Vous en frémissez, n'est-ce pas? Comment est-ce possible? C'est sûrement ce que vous vous dites!

Mais continuons notre leçon d'histoire.

En 1879, Wundt (1832-1920) fonde à Leipzig le premier *laboratoire de psychologie expérimentale.*

En 1898, Thorndike (1874-1949) publie *Animal Intelligence* et affirme que les animaux apprennent par «essais et erreurs».

Pavlov (1849-1936) entre alors en scène et parle de psychopathologie expérimentale en avril 1903 au Congrès international de Madrid. Ensuite, Wolfson met en évidence les conditionnements. Pavlov et Bechterev[5] fondent une nouvelle discipline scientifique et philosophique: la *réflexologie.*

En 1913, avec la publication de *Psychology as the Behaviorist Views it,* John Watson (1878-1958) entre en scène. Il veut faire de la psychologie une «branche expérimentale objective». Après avoir pris connaissance des travaux de Pavlov (1915), il élabore le modèle «stimulus-réponse» (S-R) et estime que ce qui se passe entre S et R est inaccessible à l'analyse. De plus, Watson reprend à Aristote le concept de la *tabula rasa*: l'individu est vierge à la naissance et tous les comportements sont acquis. Watson se joint au club des *behavioristes.*

En 1938, Skinner crée le *néobehaviorisme* et développe les notions de conditionnements opérants ou instrumentaux: les comportements sont appris ou éliminés suivant leurs conséquences (récompense ou punition).

Enfin, plus récemment est né le *behaviorisme méthodologique,* qui reconnaît qu'il est difficile d'étudier objectivement les états mentaux et conclut qu'il vaut mieux concentrer son attention sur ce qui est mesurable directement, à savoir les comportements.

Aujourd'hui encore, et toujours, le behaviorisme fait des ravages dans les pays anglo-saxons. C'est ainsi qu'a pu se développer le dressage électronique à l'aide du collier électrique avec télécommande, considéré dans les années quatre-vingt comme une révolution dans le dressage et le traitement comportemental des chiens.

Mais le système éducatif reflète sans doute le psi du dresseur, car il existe une autre application du behaviorisme, plus en vogue aujourd'hui, celle du renforcement positif. Punir supprime sans doute des comportements mais ne met rien à la place de l'acte supprimé; récompenser, par contre, permet d'engendrer de nouvelles réponses. Le renforcement positif est ce petit quelque chose (biscuit, caresse, attention) qui encourage l'animal à répéter un comportement, dans l'espoir de recevoir de nouveau la gratification.

Et oui! c'est efficace, bien entendu! La récompense renforce le comportement en intensité et en fréquence.

Éthologues

Dans son *Histoire des animaux, livre VIII,* intitulée *La psychologie des animaux,* Aristote (384 à 322 av. J.-C.) signalait déjà qu'il fallait faire plus confiance à l'observation qu'à la théorie. En cela, il était un précurseur de l'école éthologique.

Le terme «éthologie» a été utilisé pour la première fois en 1859 par Isidore Geoffroy Saint-Hilaire (1805-1861) pour décrire les recherches sur les animaux dans leur habitat naturel.

La science de l'éthologie n'a réellement été connue du public qu'à partir des travaux de Konrad Lorenz (1903-1989) et de Niko Tinbergen (né en 1907).

En médecine vétérinaire, l'éthologie a pris une place officielle en 1966 en Europe avec la création de la Société d'éthologie vétérinaire et en 1975 aux États-Unis, sous l'impulsion de Bonnie Beaver, avec la Société américaine d'éthologie vétérinaire, rebaptisée ultérieurement Société vétérinaire américaine pour le comportement animal.

Les vétérinaires qui traitent les affections (dites) psychologiques du chien mettent l'accent sur la description des comportements. Il ne suffit pas, par exemple, de dire dans un élan d'anthropomorphisme qu'un chien est «jaloux», il faut décrire ce qu'il fait pour que le propriétaire pense à ce qualificatif. C'est grâce à cette description méticuleuse qu'on peut désormais comprendre ce que le chien pense, les émotions qui le tourmentent, ses peurs, ses phobies et même la chimie de son cerveau.

Continuité

On peut émettre le credo philosophique suivant: entre le psychisme de l'homme et celui de l'animal existe un fossé infranchissable. C'est ce qu'ont fait les cartésiens et, avant eux, saint Augustin (354-430) et saint Thomas d'Aquin (1225-1274).

Mais on peut prendre le parti inverse et affirmer que *les psychismes humain et animal sont en continuité,* tout en se différenciant en quantité et en qualité. C'était déjà l'avis d'Anaxagore et d'Aristote, de Montaigne, de Rousseau et de tant d'autres, dont nous sommes. Cette théorie philosophique se retrouve aussi sous le nom de *panpsychisme* et stipule que «toute matière possède certains attributs mentaux; un continuum allant des atomes à l'homme en passant par les autres organismes vivants» (Griffin).

Les «cognitivistes», comme je les appelle, reconnaissent à l'animal un processus de pensée, de réflexion, d'intégration, d'anticipation, en somme de *cognition.* L'animal est guidé par des intentions et des désirs et n'est pas seulement façonné par des renforcements.

Si l'animal n'était dirigé que par des essais et des erreurs faits au hasard, il ne survivrait pas très longtemps. Non, l'animal a une intelligence; il apprend non seulement par l'expérience personnelle, mais aussi par l'imitation d'autrui. Et pour imiter un autre, il faut être en sympathie, en empathie avec lui; il faut partager les mêmes émotions. Connaître les émotions du congénère nécessite un langage. Langage, intelligence, communication et apprentissage par imitation sont les ingrédients de la culture.

Les chiens ont une culture!

De plus, vivant en groupe, les chiens acquièrent des rituels, petites séquences comportementales qui permettent de mieux s'entendre, de mieux communiquer. La place que l'on occupe pour dormir, le moment où l'on mange, les attentions que l'on reçoit ont tous une valeur cognitive, une valeur d'interprétation quant à la place que l'on occupe dans la hiérarchie.

Le chien est bien un être aux comportements signifiants.

Vétérinaires psychiatres pour chiens

Les vétérinaires psychiatres, éthologues ou behavioristes, utilisent ces différentes méthodes pour obtenir la guérison des affections comportementales du chien. Ils y associent aussi d'autres disciplines aux noms compliqués comme neurobiochimie, psychopharmacologie, psychoneuroimmunologie, etc. Les simples conseils éducatifs ne sont pourtant pas étrangers à leur bagage thérapeutique.

De quels problèmes s'occupent ces vétérinaires bien particuliers?

Il y a deux grands groupes d'affections:

• Les comportements qui gênent le propriétaire: morsures, mauvaise présentation en exposition, destructions, souillures, aboiements et autres délinquances, etc.;
• Les comportements qui provoquent une souffrance chez l'animal: dépression, anxiété, troubles cycliques, etc.

Nous avons divisé ces deux groupes en fonction du propriétaire, et non pas en fonction du chien. Pourquoi?

Parce que cela correspond à la réalité quotidienne de notre clientèle (l'homme est et reste anthropocentriste, c'est-à-dire essentiellement centré sur son propre intérêt d'espèce, sur son propre nombril humain), mais pas du tout à la réalité psychique animale.

Ainsi, même le meilleur ami du chien, son propriétaire, reste parfois myope devant les demandes ainsi que les souffrances psychiques de son compagnon animal. Un chien déprimé, immobile, qui dort toute la journée, est une peluche vivante; il ne gêne personne. Pourtant, la dépression de son humeur se répercutera sous peu sur son système de défense, entraînant une dépression immunitaire; et le cortège des maladies psychosomatiques suivra.

Bientôt, avec l'aide des médias, et la prise de conscience des hommes, les chiens seront aussi soignés dans leur essence psychique et leurs pensées ne laisseront plus personne indifférent.

Sans détailler les affections comportementales dont souffrent les chiens, il faut tout de même dire qu'on retrouve chez eux la majorité des pathologies de la psychologie et de la psychiatrie humaines: l'anxiété, la phobie, la dépression, les troubles compulsifs, l'hyper-motricité et la stéréotypie, ainsi que de nombreuses formes d'agression pathologique.

Comme vous le constatez, je ne parle pas de simples problèmes éduca-tifs, de chiens qui tirent en laisse, qui ne répondent pas aux ordres, etc.

La médecine vétérinaire a fait ces dernières années des progrès con-sidérables dans le domaine de l'analyse et des traitements des désordres comportementaux. On connaît aujourd'hui bien mieux les différents processus et états pathologiques. Des milliers de chiens ont été traités avec succès. Pour plus de détails, je vous renvoie à mes autres ouvrages traitant du comportement du chien.

Cependant un élément essentiel est à ajouter ici. De nombreux dé-sordres comportementaux ont des causes ou des répercussions dans le corps, que ce soit dans le fonctionnement glandulaire (la thyroïde ou la surrénale, en particulier), ou nerveux (modification de la chimie de la transmission nerveuse, par exemple). À ce moment-là des médicaments seront nécessaires.

J'encourage de tout cœur tout propriétaire d'un chien aux com-portements hors norme à consulter un vétérinaire spécialisé dans le domaine de la psychologie animale, de l'éthologie, et d'avoir ensuite recours à un éducateur ou à un technicien vétérinaire spécialisé pour réaliser les thérapies comportementales qui auront été prescrites.

Entre parenthèses, vous aurez remarqué que j'évite autant que possi-ble les mots *névrose* et *psychose* trop galvaudés et sur lesquels pèse plus qu'un soupçon d'impérialisme psychanalytique.

Une conscience canine?

Si l'on définit la conscience comme *la perception de ses propres états mentaux,* alors le chien a une conscience.

Quand un chien a peur d'un feu d'artifices, il tente de fuir. Fuit-il par réflexe? Ou fuit-il pour diminuer l'intensité du bruit, pour mettre ce stimulus à plus grande distance? Sait-il qu'en fuyant, il obtiendra ce résultat? Bien entendu, le chien a conscience d'avoir peur, il sait très bien qu'il ne peut modifier le stimulus feu d'artifices qu'en s'éloignant de lui (ou en attaquant les artificiers) et il choisit la stratégie la plus efficace à court terme.

Une pensée peut modifier tout un comportement. Je l'ai bien montré dans un article sur la phobie sociale du chien, gentiment appelée *comportement de défense anticipée* pour ne pas la confondre avec la paranoïa humaine avec laquelle elle présente pourtant des similitudes frappantes. Le chien, pensant que quelqu'un va l'agresser, présente un comportement de défense. Il va choisir l'une des tactiques suivantes: soit il se couche, immobile, inhibé; soit il fuit; soit il agresse (pupilles dilatées, queue basse, oreilles couchées). Cette agression ne correspond à aucun stimulus d'attaque, et je la nomme *agression prévisionnelle.* Cette pensée troublée, ce n'est rien d'autre qu'un *délire.*

Ce syndrome est une démonstration des capacités cognitives du chien, pensées erronées provoquant des comportements déplacés, voire dangereux, d'agressions imprévisibles.

Et au cours de la lecture de ce livre, vous serez témoin de récits troublants de chiens confus. La confusion est, elle aussi, un processus cognitif, une perturbation de la conscience.

Mais si le chien pense (ou même s'il délire), rétorqueront certains, pense-t-il qu'il pense?

Et d'autres de renchérir: le chien présente des comportements instinctifs, mais en est-il conscient?

L'homme est-il conscient de ses comportements innés? Et lui, l'*homo sapiens,* pense-t-il qu'il pense? Ou est-ce le seul apanage de certains philosophes? Ou est-ce une simple propriété du langage symbolique humain?

Avez-vous déjà essayé de penser sans mots, sans phrases? Essayez! Vous aurez une bonne idée des capacités cognitives du chien.

Confus d'émotion

Les animaux peuvent devenir confus d'émotion, au point d'en perdre la tête, de se blesser par désadaptation au monde réel ou de chercher à se tuer. Ils peuvent halluciner, manifester des comportements de recherche d'objets invisibles, de frayeur devant un ennemi imaginaire, ou bien de combat envers un agresseur absent. Dès qu'apparaît la relation affective, ils peuvent s'attacher, haïr, s'angoisser par la perte de l'objet d'amour, se déprimer et mourir de ne pas aimer. Ils peuvent se névroser lorsqu'une aventure traumatisante se conjugue avec un stade de leur maturation physiologique, lorsque leur histoire personnelle rencontre leur neurologie pour créer une aptitude relationnelle.

Boris Cyrulnik, l'auteur de ces lignes publiées dans *Mémoire de singe et paroles d'homme,* est psychiatre, mais aussi éthologue et l'un des porte-parole de l'éthopsychiatrie, qui allie, au lieu d'opposer, deux des disciplines fondatrices essentielles du traitement des affections comportementales humaines et animales. Il est aussi un des interlocuteurs privilégiés des vétérinaires éthopsychiatres.

Le chien sensoriel

La perception sensorielle est autant une création de l'imaginaire qu'une activation des récepteurs des sens. Deux êtres identiques n'auraient la même perception du monde environnant que s'ils avaient aussi les mêmes désirs, les mêmes humeurs, les mêmes pensées et les mêmes souvenirs. Chacun perçoit sa propre réalité, son propre fantasme de réalité.

Par la perception, le chien donne un *sens* aux choses. Et comme l'écrit Cyrulnik dans *La naissance du sens,* «sur l'univers physique, il [l'animal] prélève un matériau à partir duquel il construit ses "objets" propres». Et plus loin, il écrit: «Je propose de parler d'*intelligence perceptuelle* pour désigner cette activité de sélection et d'interprétation qui marque déjà la réception des stimulations sensorielles effectuées par des animaux.» Quelques pages après, Cyrulnik parle encore de *pensée perceptuelle.* C'est dire que percevoir le monde implique obligatoirement une interaction entre l'appareil sensoriel, l'inné et le vécu.

Malgré cela, il existe une certaine communauté de perceptions dans une espèce.

Quel est l'univers sensoriel du chien? Est-il, tout comme nous, avant tout, un être visuel? Ce que nous savons, et que nous pouvons lire dans tout bon ouvrage de cynophilie, c'est que le chien voit quasiment comme nous, tout en étant moins sensible aux couleurs et aux formes (et hypersensible — voire craintif — face aux mouvements brusques et aux variations de forme des objets familiers), qu'il entend bien mieux que nous puisqu'il perçoit les ultrasons jusqu'à 30 kilohertz, qu'il a un sens gustatif développé (même s'il n'est pas spécialement gourmet) et qu'il possède un odorat remarquable que l'homme utilise pour dénicher des truffes, retrouver des personnes disparues ou découvrir la drogue dans des emballages quasi hermétiques.

Essayons dans les quelques lignes qui suivent de nous *faire chien,* de communier avec l'intelligence et la pensée perceptuelles du chien et de ses proches parents.

Posons-nous d'abord la question suivante: combien y a-t-il de sens? Vision, audition, toucher, olfaction, gustation sont les cinq sens habituels; mais il ne faut pas oublier les sens suivants: équilibre, température, douleur, électromagnétique, horaire, etc.

À la question «Le chien a-t-il un sixième sens?, je répondrai: Oui, et un septième et un huitième et d'autres encore. Dans d'autres chapitres, nous parlerons de perception extrasensorielle, mais je veux dire tout de suite qu'il s'agit d'une perception en dehors du canal des sens connus actuellement par la science, lesquels seront expliqués, donc banalisés, sous peu par cette même science.

La prépondérance visuelle dans la chasse chez le coyote

Quels sont les sens indispensables pour la chasse chez le coyote? Mais pourquoi le coyote, me direz-vous? C'est un proche parent du chien et nous avons une expérience à vous raconter, alors présentons-la, elle peut nous aider à voir plus clair dans la priorité qu'ont les sens dans une activité comportementale importante pour la survie: la chasse.

Marc Bekoff, Michael Wells et Philip Lehner ont placé un coyote dans une pièce de 30 m^2 (5 m x 6 m) pour lui faire chasser un lapin, ce qui lui prend 4,4 s.

En utilisant un lapin mort (donc immobile et silencieux), on enlève au coyote toute possibilité de découvrir la proie par l'audition. En irriguant les muqueuses nasales du coyote avec du sulfate de zinc, on l'empêche de se servir de son flair (olfaction). En plongeant la pièce dans le noir, on l'empêche de se servir de sa vision.

Un coyote chasse le lapin en 5,6 s grâce à la vue seule et en 36,1 s dans le noir (sans vision). Il trouve le lapin en 28,8 s par l'audition seule et en 81,1 s par la seule olfaction. Sans aucun de ces trois sens, il lui faut 154,8 s pour découvrir le lapin à l'aide du sens du toucher.

V A O T	4,4 s
V T	5,6 s
A O T	36,1 s
A T	28,8 s
O T	81,1 s
T	154,8 s

V = vision   A = audition   O = olfaction   T = toucher

Les sens prépondérants dans cette expérience sont, par ordre d'importance: la vision, l'audition, l'olfaction, le toucher.

Pour confirmer cela, l'expérience a été reproduite dans une surface naturelle de 6400 m^2 (80 m x 80 m) (Ranch Maxwell, propriété de l'Université d'État du Colorado). Les temps de chasse sont donnés dans le tableau ci-dessous:

V A O T	30,1 s
V O T	34,5 s
V T	43,7 s
A O T	62,0 s
A T	72,7 s
O T	208,8 s
T	22,2 s

L'observation des coyotes montre que l'olfaction est utilisée en fonction du vent: un vent de 10 km/h permet de détecter le lapin situé à 2 m, un vent de 40 km/h, à 5 m. Les résultats sont clairs. Pour le coyote et dans cette activité importante qu'est la chasse, la vision est prépondérante, ensuite vient l'olfaction, puis l'audition.

Vision > Olfaction > Audition.

Et chez le chien?

Le chien n'est pas un coyote, bien sûr. Pourtant, en observant ma chienne draathaar (braque à poil dur), qui n'a subi aucun apprentissage de chasse, il est évident que la vision est chez elle prépondérante pour amorcer une poursuite de lapin ou de chat en terrain découvert (elle le pourchasse en hurlant et ne le capture jamais).

Mais il est bien évident que ce ne sera pas le cas des chiens pisteurs. Remarquons que dans l'article de Bekoff et Wells, il n'est jamais fait mention de pistage au sol dans la chasse chez le coyote. Tout au plus parle-t-on du flair le nez au vent. On peut penser que le pistage est un développement sensoriel particulier du chien (de certaines races de chiens). Encore faut-il le développer par apprentissage. Ma chienne peut suivre une piste au sol (si on s'amuse à traîner un os de gigot par terre sur une dizaine de mètres et qu'on le camoufle sous un chiffon), mais elle étudie les lieux d'abord avec les yeux. Dans ce comportement, elle ressemble fort aux coyotes.

Quelques mots sur l'olfaction

Le chien est l'un des plus beaux représentants des mammifères *osmatiques,* pour utiliser un qualificatif mis en exergue par Cyrulnik; les éthologistes tel David MacFarland parlent de *chémoréception,* ou sens chimique, et groupent olfaction et gustation. Dans nos sociétés occidentales, l'être humain est un handicapé de l'odorat tant au plan biologique que culturel et moral; l'odorat est mal vu, c'est animal, c'est intime, donc réprimé. Chose fondamentale, l'odeur active les récepteurs olfactifs et «cette information odorante passe directement du nez aux circuits de la mémoire et de l'émotion, sans aucune représentation néocorticale» (Cyrulnik). L'odeur évoque des émotions, des souvenirs et des images ainsi que toute une histoire intime.

Grâce à cette force évocatrice dans leur mémoire, les animaux osmatiques activent immédiatement des stratégies comportementales à la moindre perception odorante.

L'acuité olfactive du chien est remarquable; il possède plus de 1 000 fois plus de cellules olfactives que l'homme et certains ont avancé qu'il percevait les odeurs avec une acuité de 1 à 100 millions de fois supérieure, même si ce dernier chiffre semble exagéré.

Le chien reconnaît par exemple une odeur de vinaigre (acide acétique) dilué un million de fois (soit environ une goutte de vinaigre dans 50 litres d'eau) et l'acide sulphurique à une dilution encore 10 fois supérieure. Est-ce aussi dire que, si je suis incommodé par les émanations d'une cigarette fumée à 10 m de moi, le chien peut l'être à 1 km de distance?

L'une des premières expériences sur l'odorat date de 1885: G. J. Romanes demanda à 11 hommes de le suivre, chacun devant mettre les pieds dans les traces de celui qui le précédait; après plusieurs centaines de mètres, les hommes se cachèrent et la chienne de Romanes fut lâchée. Elle retrouva son maître sans la moindre difficulté.

Une expérience ultérieure réalisée avec des jumeaux perturba le chien qui ne reconnut pas le bon jumeau.

Les manifestations atmosphériques laissent aussi des odeurs que le chien perçoit, par exemple l'ozone pendant l'orage; certains chiens aiment l'orage: regardez-les renifler l'air, admirer les zébrures des éclairs dans un ciel d'encre, écouter les grondements du tonnerre…

Quelques mots sur l'audition

Le chien entend bien mieux que les humains. Il perçoit les sons graves un peu comme nous, jusqu'à 250 cycles par seconde, mais il entend les aigus avec bien plus d'acuité, jusqu'à 30 kHz environ, ce qui reste inférieur à l'acuité des chats (100 kHz). Un greyhound testé semblait entendre des sons de 60 kHz, mais cela reste exceptionnel.

L'audition est l'un des sens qui disparaissent le plus rapidement avec l'âge. Il n'est pas rare de voir des chiens qui deviennent quasiment sourds du jour au lendemain et qui ne réagissent plus aux bruits de la vie quotidienne, ce qui inquiète à juste titre leurs propriétaires.

L'acuité auditive est également à l'origine de nombreuses phobies du chien; outre les phobies des bruits explosifs existent aussi les phobies urbaines, phobies complexes où se mêlent des stimulations bruyantes et visuelles.

S'il y a phobie du bruit, il est dès lors aussi possible de réaliser des désensibilisations au bruit, notamment à l'aide de cassettes enregistrées de bruitages appropriés. Le mode d'emploi détaillé a été mis en évidence dans le livre que j'ai rédigé, *Mon chien est d'une humeur de chien*, auquel vous pouvez vous référer.

Quand je faisais jouer une cassette de bruits de bord de mer, ma chienne se dressait et écoutait les mouettes, les cherchant dans la pièce, incrédule, semblant trouver aberrante la présence de ces oiseaux dans sa maisonnée.

Si le rendu des haut-parleurs est de qualité, vous pourrez aussi observer ce genre de réactions avec votre chien.

Certains bruits provoquent une douleur ou une gêne acoustique. Pour reparler de ma chienne, elle se mettait à hurler quand mon fils jouait de l'harmonica…

L'intelligence du chien

Le concept d'intelligence est complexe. Il fait appel à différentes notions, comme celle de la compréhension de la notion d'objet et de son utilisation éventuelle, de la conscience, de la pensée, etc. Nous allons parler brièvement de quelques-unes de ces notions.

Intelligence

Le concept d'intelligence a été historiquement défini afin de séparer l'être humain de l'animal pour le rapprocher de Dieu. Actuellement, puisqu'on parle d'intelligence artificielle, cette distinction n'est plus valable. On pourrait dès lors définir l'intelligence comme la capacité à s'adapter à l'environnement, indépendamment des compétences transmises génétiquement (phylogenèse). Il est préférable de parler des différentes formes d'intelligences animales, au pluriel. Les compétences animales sont évaluées par rapport aux capacités humaines (anthropocentrisme).

L'intelligence nécessite la capacité d'apprendre (apprentissage), de manipuler des objets, des symboles (abstraction) ou des concepts, de calculer, de résoudre des problèmes, de mémoriser des déplacements dans l'espace (intelligence spatiale), de communiquer des informations (langage), d'avoir une connaissance de son identité (conscience de soi), d'avoir une pensée, etc.

Q.I.

L'être humain est évalué depuis 1905 par des tests permettant de calculer le Q.I. ou quotient intellectuel. De tels tests n'ont pas été élaborés pour le chien.

Celui-ci est capable d'associer un symbole (mot) à un objet ou à une action (apprentissage), d'avoir une notion du concept d'objet. Mais, contrairement aux singes, il n'utilise pas d'outils.

Conscience de soi

Le chien a-t-il une conscience de lui-même? En tout cas, il se distingue parfaitement des autres, il connaît donc les différences.

Depuis les travaux de Gordon G. Gallup en 1970, le «test du miroir» est devenu le moyen privilégié pour déterminer la faculté d'autoreconnaissance visuelle.

Avant l'âge de trois mois, le chiot, bien identifié à son espèce, tente de jouer (interaction sociale) avec son image dans le miroir. Il y reconnaît un congénère. Après une certaine expérience et constatant l'absence de complémentarité dans l'interaction sociale, certains chiens deviennent indifférents; d'autres restent des minutes ou des heures à regarder leur image, en inclinant de temps en temps la tête, plissant le front et inclinant les oreilles. Chez le chat, on a observé des réactions d'agression. L'indifférence est déjà le signe d'une certaine perplexité.

Seuls le chimpanzé et l'être humain reconnaissent leur image. La démonstration en est faite par le nettoyage d'une tache sur le visage, observable seulement dans le miroir («test de la tache») ou par le maquillage dont ces deux espèces aiment se décorer. L'enfant est «trompé» par le miroir jusqu'à l'âge de 15 mois, il est perplexe et évite le miroir de 16 à 24 mois. Puis, il reconnaît son image après deux ans et réussit alors le test de la tache.

Le chien n'ayant pas de pattes préhensibles, le test de la tache n'est pas adéquat. Il faudrait inventer des tests appropriés pour le chien. Ce n'est pas encore fait aujourd'hui.

Pensée

La pensée a souvent été associée au langage afin de distinguer l'être humain de l'animal. Le chien est-il capable de former mentalement des idées (représentation), de les associer, d'avoir des croyances, des intentions et des désirs?

On a classé les états mentaux en différents ordres ou degrés.

1er ordre: je pense que X;
2e ordre: je pense que tu penses que X;
3e ordre: je pense que tu penses que je pense que X.

1er ordre

C'est la pensée perceptuelle, c'est-à-dire la capacité de se représenter un objet ou une action à partir de la perception de quelques-uns de ses éléments. Le chien perçoit si son propriétaire est de bonne ou de mauvaise humeur et va donc émettre un comportement d'accueil ou d'évitement.

2e ordre

C'est la déduction, à partir du comportement d'autrui, de la réalité de la présence d'un objet, d'une situation ou d'une action. Un chien qui n'a guère envie de manger ce qu'il y a dans sa gamelle retrouve l'appétit en regardant un congénère se réjouir en mangeant la même chose que lui.

3e ordre

La pensée «je crois qu'il croit que je vais l'agresser» est du 3e ordre. Il n'est pas démontré que le chien puisse avoir ce type de pensée.

Compréhension du langage humain

Il est logique de penser que la perception du langage est indissociable de sa production. Seul l'être humain possède les aires cérébrales nécessaires pour parler et comprendre le langage qu'il a inventé.

Le langage est divisé en sons, appelés phonèmes. Ces sons forment des mots qui sont combinés pour former des phrases. C'est le langage verbal. Ces phrases sont exprimées avec différentes intonations, modulations qui confirment leur sens: affirmation, question, etc. C'est le langage paraverbal.

Les chiens sont tout à fait capables d'associer des mots (phonèmes) à des situations ou, après apprentissage, à des ordres. Mais, avant l'apprentissage, ces mots n'ont bien entendu aucun sens pour le chien, tout comme ils n'ont aucun sens pour un bébé. Imaginez-vous transporté dans un pays étranger où l'on vous parle une langue inconnue. Malgré votre appartenance à l'espèce humaine, vous serez incapable de comprendre quoi que ce soit du langage verbal. Les intonations vous donneront quelques indications, peut-être, mais ce n'est pas toujours le cas si vous êtes immergé dans une culture différente. Rapidement, vous extrairez des phonèmes des phrases et vous les associerez à des situations ou à des objets et vous pourrez les reproduire. Le chien peut, tout comme vous, extraire des phonèmes et comprendre leur signification-symbole; cependant, il est incapable de reproduire ces phonèmes.

- Combien de mots le chien comprend-il?
  Entre 20 et 100 mots.

- Quelle capacité de perception le chien a-t-il?
  Cette capacité est très subtile. Il différencie des phonèmes semblables comme «ici» et «assis».

- Que perçoit le chien dans une phrase?
  Le chien extrait les phonèmes de l'ensemble de la phrase et y réagit comme s'il s'agissait d'un symbole isolé.

- Le chien perçoit-il la valeur du symbole derrière le mot?
  Si on demande à certains chiens d'aller chercher une balle de ten-

nis ou une laisse, ils ne se trompent pas. C'est que l'association entre le mot-symbole et l'objet entraîne une représentation mentale de cet objet. Il en est de même pour des postures corporelles ou des séquences de mouvement comme «ici» et «assis».

Concept de la permanence des objets

Chez l'enfant humain, le psychologue Jean Piaget a proposé six stades dans le développement de la notion de permanence de l'objet, en fonction du comportement face à un objet qui disparaît. La question serait la suivante: un objet disparu existe-t-il encore?

COMPORTEMENT	BÉBÉ	CHIOT
Absence de comportement de recherche de l'objet disparu.	—	—
Regard en direction de l'endroit où a disparu l'objet.	—	—
Retrouve un objet partiellement caché.	4 mois	5 sem
Retrouve un objet complètement caché, mais va le rechercher toujours au même endroit.	9 mois	7 sem
Retrouve un objet caché là où il a disparu.	12 mois	8 sem
Résout des déplacements invisibles.	18 mois	1 an?

Stade 5: un objet (balle) est caché dans une boîte. Le chien le retrouve sans difficulté.

Stade 6: un objet est caché dans la main, et ensuite la main dépose l'objet dans une boîte. La main ressort de la boîte et est ouverte en face du chien. Le chien ne comprend généralement pas que la balle est dans la boîte et va explorer la main. Vers un an, certains chiens vont plus souvent vers la boîte que vers la main.

Discussion

Le chien est doté d'intelligence. C'est évident. Cette intelligence diffère de la nôtre en quantité et en qualité. Une vision anthropocentriste dirait que le chien est moins intelligent que nous. Une vision cynocentriste (centrée sur le chien) démontrerait que le chien est plus compétent que nous dans l'identification olfactive, que ce soit pour la recherche de personnes disparues, pour la découverte des truffes enterrées, ou quelque autre activité dans le domaine de ses compétences.

Faut-il toujours dire que l'un est «plus» que l'autre?

Le troisième œil

Saint-Pétersbourg, mai 1880. Rue Pouchkarska.
«Par une soirée du mois de mai…»

L'affaire Amosof…

Ainsi commence une étonnante histoire signée par trois des sept témoins présents ce soir-là: Daniel Amosof, Marie Téléchof et Kouzema Petrof. Cette anecdote a été racontée par Alexandre Aksakoff à la Society for Psychical Research qui l'a publiée dans le volume X de ses *Proceedings*.

Voici cette histoire:

Par une soirée du mois de mai, vers les 18 h, ma mère (Mme Téléchof) se trouvait au salon avec ses cinq enfants, dont j'étais l'aîné (j'avais alors 16 ans). Un ancien serviteur de la maison, qu'on traitait en ami (mais qui ne servait plus chez nous alors), était venu nous voir et était engagé dans une conversation avec ma mère.

Tout à coup, les ébats joyeux des enfants s'arrêtèrent et l'attention générale se porta vers notre chien Moustache, qui s'était précipité, en aboyant fortement, vers le poêle. Involontairement, nous regardâmes tous dans la même direction et nous vîmes, sur la corniche du grand poêle en carreaux de faïence, un petit garçon de six ans à peu près, en chemise. Dans ce garçon, nous reconnûmes André, le fils de notre laitière, qui venait chez nous souvent avec sa mère pour jouer avec les enfants; ils vivaient tout près de nous.

L'apparition se détacha du poêle, passa au-dessus de nous tous, et disparut par la croisée ouverte. Pendant tout ce temps — une quinzaine de secondes — le chien ne cessait d'aboyer de toutes ses forces, courait et aboyait en suivant le mouvement de l'apparition.

Le même jour, un peu plus tard, notre laitière vint chez nous et nous informa que son fils André, après une maladie de quelques jours, venait de mourir; c'était probablement à ce moment-là que nous l'avions vu apparaître.

Devons-nous conclure que le chien a vu quelque chose?

Oui, il me semble. De plus, il suivait des yeux la *chose* au cours de son mouvement.

Pouvons-nous déduire qu'il a vu la même chose que les gens présents?

Ça, c'est autre chose! Le comportement du chien nous fait penser qu'il a vu quelque chose d'anormal; mais voir un petit garçon de six ans s'envoler, n'est-ce pas anormal? Oui, vous en conviendrez. Alors?…

La dame en blanc

À cette histoire s'ajoutent les cas historiques décrits par M. Wallace dans le second volume des *Proceedings of the Society for Psychical Research*:

Dans le cas rapporté par M. Hodgson dans l'Arena (septembre 1889), quand la dame en blanc apparut au frère de l'auteur, nous lisons que, la troisième nuit, il vit le chien ramper et rester là, le regard fixe, et ensuite courir tout autour de la chambre comme s'il était poursuivi. Mon frère ne vit rien mais entendit une sorte de sifflement, et le pauvre chien hurla et essaya de se cacher et ne voulut plus jamais entrer dans cette chambre.

Encore une fois, le chien a vu (au moins perçu d'une façon ou d'une autre) quelque chose d'effrayant.

M. Dauntesey vit un fantôme à Ayecroft Hall en 1885 ou 1886. Il ne le vit qu'à deux reprises en plusieurs années, mais son fox-terrier manifesta quelques comportements étonnants: «J'avais une chienne fox-terrier qui dormait dans ma chambre, qui s'y installait confortablement pour dormir; mais l'une ou l'autre fois, elle montrait une complète horreur de la pièce et regardait fixement dans un coin, tremblant violemment. À ces occasions, je la mettais dans une autre pièce où elle se calmait. J'ai fouillé la pièce complètement et minutieusement sans avoir jamais rien pu y découvrir.

Le chien vit quelque chose d'invisible à l'œil humain. Qu'était-ce? Un fantôme tel qu'avait cru le voir M. Dauntesey ou tout autre chose?

Que conclure de ces anecdotes?

Les chiens que nous avons présentés souffrent-ils d'hallucinations?

Les hallucinations existent chez le chien; elles sont bien décrites par les vétérinaires psychiatres. La difficulté, pour l'animal, est de faire la différence entre quelque chose qu'il voit réellement et quelque chose qu'il s'imagine voir, comme des hallucinations, et son comportement sera réactif au stimulus perçu par ses yeux (objet réel) ou son cerveau (objet imaginaire ou halluciné).

Nous avons eu dans notre clientèle un boxer mâle qui, brusquement, regardait quelque chose qui n'existait pas, prenait peur et fuyait loin du salon pour se réfugier dans la salle de bains. Personne d'autre ne voyait ni n'entendait quoi que ce soit. Il a présenté ce comportement à plusieurs reprises et nous lui avons donné un traitement homéopathique qui lui a fait le plus grand bien puisque ces *visions* ne se représentèrent plus. Mais avait-il réellement vu quelque chose? Les propriétaires, qui venaient de perdre un proche, pensaient que cette personne décédée revenait, ou restait, ou était visible à certains moments dans la maison et que le chien s'effrayait de sa présence. Mais était-ce la réalité?

Une expérience hors corps

Un ami de Raymond Bayless, chercheur dans ce domaine particulier du psychisme, le Dr D. Scott Rogo, a la faculté de projeter son double en de rares occasions…

Cette projection porte différents noms ésotériques mais, scientifiquement, on l'appelle une expérience hors corps (EHC) ou, en anglais, *out of body experience* (OBE). Le double projeté a la faculté de se déplacer, de voir, de traverser les murs et le plafond, enfin d'agir à sa guise comme un fantôme, tout en respectant autant que possible l'intimité d'autrui. Mais reprenons notre histoire…

Durant une de ces EHC, Rogo se déplace de sa chambre vers le hall, où il rencontre ses deux chiens. Ils se mettent à aboyer, mais il les ignore et se dirige vers le salon où il voit sa mère, occupée à lire; celle-ci ne s'aperçoit pas de sa présence.

Les chiens ne semblent pas indifférents aux manifestations hors corps, ce qui témoigne d'une certaine réalité physique et psychique de ces doubles, invisibles et imperceptibles pour la majorité d'entre nous.

Ainsi le Dr Hepworth (cité par Bayless), qui a lui aussi cette faculté de se projeter hors de son corps, note-t-il que son chien s'approcha de son corps physique avec crainte, puis dressa la tête et vit son double, s'en approcha et regarda le corps et le double, alternativement, avec étonnement.

D'autres histoires de ce type sont contées dans un chapitre consacré aux phénomènes de hantise et de *poltergeist.*

La troisième oreille

Le mousse du navire à voile Avalanche (dans le naufrage duquel périt tout un équipage) avait un chien qui l'aimait beaucoup et qui répondait promptement à l'appel d'un sifflet pour chien que son maître portait toujours avec lui. Durant la nuit du naufrage, la mère et la tante du mousse se trouvaient dans le boudoir et le chien dans la cuisine.

Entre 9 et 10 h, les deux femmes furent frappées soudain par un sifflement très fort venant de l'étage supérieur. Le son était bien celui du sifflet dont se servait le jeune mousse. Le chien l'avait reconnu à son tour et avait aussitôt répondu par des aboiements, comme c'était son habitude de le faire, et avait couru à l'étage supérieur, où il faut croire qu'il supposait trouver son maître.

Voilà ce que racontait Hudson Tuttle dans son livre intitulé *Arcana of Spiritualism*.

La perception d'apparitions

Août 1905. Ernest Bozzano publie cette année-là un recueil de 47 pages dans les *Annales des sciences psychiques*. Le titre de cet article volumineux est «Perceptions psychiques et animaux». Cette monographie reprend 69 cas qui, dit Bozzano, «auraient pu se monter au double avec le concours d'autres personnes qui portent leur tribut à ces recherches». Ces 69 cas sont divisés en six catégories. La catégorie n° IV s'intitule: *Visions de fantômes humains en dehors de toute coïncidence télépathique et perçus collectivement par des hommes et des animaux.* C'est tout un programme! Et c'est le sujet de ce chapitre.

Une jeune dame appartenant à ma paroisse, à Boston, écrit le révérend Minot Savage dans *Can Telepathy Explain?, était un dimanche soir assise à son piano; elle jouait et elle songeait. Aucun des membres de la famille ne se trouvait à la maison, pas plus que les domestiques. Un petit chien, très aimé par la dame, était couché sur une chaise, à quelques pas d'elle. Étant au piano, elle tournait le dos à la porte qui s'ouvrait sur le salon. Tout à coup, son attention fut attirée par l'attitude du chien qui s'était soulevé, le poil hérissé sur le dos, et avait commencé à gronder sourdement, en regardant vers la porte.*

La dame se retourna aussitôt et aperçut les silhouettes vagues de trois formes humaines, qui se trouvaient dans l'autre chambre, près de la porte donnant sur le salon. Avant que les formes disparaissent, il lui sembla en reconnaître une.

En attendant, la terreur du chien avait augmenté à tel point qu'il avait été se cacher sous le sofa, d'où il ne se décida à sortir qu'à la suite des insistances réitérées de sa maîtresse.

Voilà l'un des cas publiés par Bozzano. Une apparition qui semble terroriser un petit chien. Il faut dire qu'elles ne font pas toutes cet effet-là. Ainsi, le Dr Woetzel publia en 1804 un livre sous le titre *Apparitions réelles de ma femme après sa mort* dans lequel on peut lire (suivant Bozzano): «L'apparition se répéta (…) et, dans cette dernière circonstance, le chien du Dr Woetzel avait tourné autour de l'endroit où se trouvait l'apparition, en remuant joyeusement la queue.»

Mais voici une autre anecdote, sous la plume de M. Mamtchitch et publiée sous la responsabilité d'Alexandre Aksakoff dans les *Proceedings of the Society for Psychical Research,* volume X (p. 387 à 391).

En 1855, je demeurais chez mes parents, dans une campagne du gouvernement de Poltava. (…) M'étant réveillé à l'aube, je vis Palladia (une jeune fille morte à 15 ans et qui fit des apparitions réitérées). Elle se tenait devant moi, à cinq pas à peu près, et me regardait avec un sourire joyeux. S'étant approchée de moi, elle me dit deux mots: "j'ai été, j'ai vu", et, tout en souriant, disparut. (…)

Mon setter dormait dans ma chambre, avec moi. Dès que j'aperçus Palladia, mon chien hérissa le poil et, avec un glapissement, sauta sur mon lit; se pressant contre moi, il regardait dans la direction où je voyais Palladia. Le chien n'aboyait pas, tandis que, ordinairement, il ne laissait personne entrer dans ma chambre sans aboyer ou grogner. Et, chaque fois que mon chien voyait Palladia, il se pressait contre moi, comme pour chercher refuge.

Le chien, un setter, bon gardien, semblait-il, se terre dans les bras de son propriétaire à la vue d'une fille de 15 ans? Incroyable. À moins que ce que le chien n'ait vu ne soit pas si anodin. Évidemment, c'est une situation qui sort de l'ordinaire et l'incompréhension peut déclencher une peur bien compréhensible chez l'animal.

Une nuit qu'il faisait très noir, comme nous étions assis sous la véranda, l'aboiement lent et monotone d'un chien, enchaîné dehors, attira notre attention.

Voici les premiers mots d'une communication de M. Alexander, professeur à l'Université de Rio de Janeiro, adressée à M. Myers et publiée dans les *Proceedings of the Society for Psychical Research*, volume VII (p. 183).

Nous le trouvâmes regardant en l'air quelque chose que ni M. Davis ni moi ne pûmes apercevoir. Les jeunes filles cependant déclarèrent qu'elles voyaient une forme spirituelle bien connue qui se tenait en face du chien, et l'aboiement exprimait bien réellement un grand effarement. (…)

Dans le volume X des *Proceedings of the Society for Psychical Research*, Mme H. E. S. racontait: *Vers l'année 1874, alors que je n'avais que 18 ans, je me trouvais dans la maison de mon père et, un matin d'été, je m'étais levée vers 5 h afin d'allumer le feu et de préparer le thé. Un gros bull-terrier, qui avait l'habitude de m'accompagner partout, se trouvait à côté de moi tandis que je m'occupais du feu.*

À un moment donné, je l'entendis émettre un sourd grondement et je le vis regarder en direction de la porte. Je me tournai de ce côté et, à ma grande terreur, j'aperçus une figure humaine haute et ténébreuse, dont les yeux flamboyants se tournaient vers moi. Je jetai un cri d'alarme et je tombai à la renverse sur le sol.

Mon père et mes frères accoururent immédiatement, croyant que des voleurs avaient pénétré dans la maison. Je leur racontai ce que j'avais vu; ils jugèrent que la vision n'avait eu d'autre source que mon imagination troublée à la suite d'une maladie récente.

Mais pourquoi, alors, le chien aurait-il perçu quelque chose, lui aussi?

Le chien en question voyait parfois des choses qui étaient invisibles pour moi; il se lançait contre elles, semblant mordre en l'air; il me regardait ensuite d'un air qui voulait dire: "N'as-tu donc pas vu?"

Hallucination? Pseudohallucinations collectives chez une fille malade et chez un chien anxieux? Comportement de recherche d'attention chez le chien? Ou bien vision réelle? Inexplicable!

Mme d'Espérance, universellement connue dans le domaine des études psychiques de l'époque, publia un article dans la revue *Light* en octobre 1904, racontant sa propre expérience lors de son déménagement dans une nouvelle habitation en 1896.

Pour mes promenades quotidiennes, j'avais l'habitude d'aller dans un petit bois que j'aimais beaucoup. (...) Un chemin public le traversait d'un côté. Or, j'avais fréquemment observé que les chevaux prenaient peur à cet endroit; cela m'avait toujours intriguée, ne sachant pas à quoi l'attribuer. En d'autres occasions, comme j'arrivais en cet endroit avec mes deux chiens, ceux-ci refusaient opiniâtrement d'entrer dans le bois; ils se blottissaient à terre, ils mettaient le museau entre leurs jambes, et restaient sourds à la persuasion comme aux menaces. Si je m'acheminais dans toute autre direction, ils me suivaient aussitôt joyeusement, mais si je persistais à vouloir entrer dans le bois, ils m'abandonnaient en se dirigeant à la course vers la maison, en proie à une espèce de panique.

Ce fait s'étant renouvelé plusieurs fois, je me décidai à en parler à une amie, qui était la propriétaire de ce lieu. J'appris alors que de semblables incidents s'étaient souvent produits à cet endroit depuis des temps fort reculés. (...) Elle m'apprit aussi que cette partie de la route qui traversait le bois était considérée par les paysans de l'endroit comme un lieu hanté par suite d'un terrible crime qui y avait été commis au commencement du siècle dernier.

En effet, un amant déchu tua en cet endroit son ex-fiancée, son mari et son père avant d'être lui-même tué par le frère de la jeune femme.

Le temps passa jusqu'au jour où...

C'était une journée suffocante et je m'étais dirigée vers le bois pour y trouver un abri du soleil et de la réverbération aveuglante de la route. J'étais accompagnée par deux collies et par un petit terrier. Parvenue à la limite du bois, je vis les deux collies s'accroupir soudain sur le sol en refusant de continuer leur chemin; en même temps ils exerçaient tout leur art canin de persuasion pour que j'aille ailleurs. Voyant que je persistais à vouloir avancer, ils finirent par m'accompagner, mais avec une répugnance

visible. Toutefois, quelques instants après, ils semblèrent oublier et ils recom-
mencèrent à courir par-ci par-là, pendant que je continuais tranquillement
mon chemin en cueillant des mûres.

À un moment donné, je les vis revenir à la course et se tapir, tremblant
et gémissant, à mes pieds; en même temps, le petit terrier avait sauté sur mes
genoux. Je ne pouvais pas m'expliquer cela quand, tout à coup, j'entendis
derrière moi un piétinement furieux qui se rapprochait rapidement. Avant
que j'eusse le temps de m'écarter, je vis arriver sur moi un troupeau de daims
en proie à l'épouvante; dans leur course effrénée, ils faisaient si peu de cas
de moi et des chiens qu'ils furent sur le point de me jeter à terre.

Je regardai autour de moi, épouvantée, pour découvrir la cause de cette
panique, et j'aperçus un veau de couleur rouge foncé qui, en revenant sur
ses pas, s'engageait dans le taillis. Les daims s'étaient éloignés rapidement
dans une autre direction du bois. Mes chiens qui, dans des circonstances
ordinaires, leur auraient donné la chasse, se tenaient accroupis et tremblants
à mes pieds, tandis que le petit terrier refusait de descendre de mes genoux.

Pendant plusieurs jours, ce petit chien ne voulut plus traverser le bois; les
deux collies, tout en ne s'y refusant pas, y pénétraient contre leur gré, et
montraient visiblement leur défiance et leur crainte.

Le résultat de toutes nos enquêtes ne fit que confirmer davantage nos
impressions, c'est-à-dire que le veau de couleur rouge foncé ou, comme on
dit dans le pays, le veau aux yeux flamboyants, n'était pas un animal com-
mun, vivant, terrestre...

Je ne doute pas que les facultés d'intuition et de clairvoyance des ani-
maux devaient leur avoir fait connaître l'existence de quelque chose d'anor-
mal ou de supranormal dans le bois, et que leur répugnance pour les
phénomènes de nature supranormale — répugnance qui chez l'homme est
appelée superstition — était la cause de leur étrange attitude.

Ernest Bozzano commente ce cas et écrit que l'hypothèse qu'il ne
s'agisse pas d'un veau vivant paraît évidente, car les chevaux, les daims
et les chiens n'ont guère l'habitude de s'épouvanter à la vue d'un veau
inoffensif, du moins aux yeux d'un humain.

Hantise et poltergeist

Mashff

Notre grand dogue Mashff accourut se réfugier entre M. et Mme Wesley. Tant que les bruits continuèrent, il jappait et sautait en happant l'air d'un côté ou de l'autre, et cela souvent avant même que quiconque dans la chambre n'entende quelque chose. Mais après deux ou trois jours, il tremblait et s'en allait en rampant avant que le bruit ne commence. La famille savait à ce signe ce qui allait arriver et cela ne manquait jamais de se produire.

Un beau cas d'anticipation conditionnée! Mashff anticipe les bruits dont il a peur à des signes précurseurs... Mais quels signes? Et quels bruits?

Les bruits étaient étranges, semblables à ceux que feraient des objets en fer et en verre jetés par terre. Ainsi ont été décrits par l'éminent John Wesley les phénomènes qui se produisirent à la cure d'Epworth. Car si bruits il y avait, aucun objet n'était jamais tombé par terre. Ainsi le chien prévoyait-il à des signes qu'il voyait ou entendait ou sentait (ou percevait d'une façon ou d'une autre à nous humains imperceptible) des *poltergeists* sonores typiques.

Les chiens ont peur

Dans le terrible cas de maison hantée raconté à M. R. D. Owen par Mme S. C. Hall, qui fut témoin elle-même des faits principaux, nous voyons que l'homme hanté n'avait pu garder un chien longtemps. Celui qu'il avait quand Mme Hall fit sa connaissance, il ne fut pas possible de le faire rester dans la chambre ni le jour ni la nuit, quand les phénomènes commencèrent et, peu de temps après, il s'enfuit et fut perdu.

Voilà une anecdote extraite par Ernest Bozzano du livre de Owen: *Footfalls on the Boundary of Another World*. À cette histoire s'ajoutent les cas historiques décrits par M. Wallace dans les *Proceedings of the Society for Psychical Research*, volume II.

Dans le remarquable récit de maison hantée fait par un dignitaire très connu de l'Église anglicane qui habita cette maison pendant 12 mois, il faut bien noter la conduite très différente des chiens en présence des effets insolites réels ou fantomatiques. Quand une tentative de vol eut lieu au presbytère, les chiens donnèrent l'alarme aussitôt et le clergyman se leva à leurs féroces aboiements. Au contraire, pendant les bruits mystérieux, bien que ceux-ci fussent beaucoup plus forts et inquiétants, ils n'aboyèrent pas du tout. On les trouva tapis dans un coin dans un état de frayeur pitoyable. Ils étaient plus troublés que personne et, s'ils n'avaient été enfermés en bas, ils seraient accourus à la porte de notre chambre à coucher et se seraient blottis là en rampant et en gémissant aussi longtemps qu'on les aurait laissés faire.

Une autre histoire est extraite par Bayless du *Journal of the Society for Psychical Research*, volume XIII; la narratrice est la nièce d'Andrew Lang. Elle promenait son chien Turk quand, brusquement, elle vit le double d'un ami médecin. Le chien, lui aussi, vit quelque chose, puisqu'il se mit à aboyer, à grogner et à montrer des signes de peur. Ils rencontrèrent le médecin peu après et il était habillé exactement comme son double ou son fantôme, mais portait sur le bras une sortie de bain humide.

Le fantôme de Hammersmith

Dans le cas de la maison hantée de Hammersmith (*Proceedings of the Society for Psychical Research*, volume III), où apparut un fantôme de femme et où furent perçus des bruits de pas, des sanglots, des soupirs et où des portes s'ouvrirent sans cause apparente, le chien fut, lui aussi, pris de panique:

Bientôt, écrit Mme R., *les anciens bruits recommencèrent dans notre petite bibliothèque. C'étaient les sons d'objets qui tombaient, des fenêtres qui s'agitaient violemment, des secousses puissantes imprimées à toute la maison; enfin, aussi, la fenêtre de ma chambre commença à s'agiter tapageusement. En attendant, le chien hurlait sans cesse et le bruit des coups et des chutes augmentait d'intensité... Je quittai ma chambre et me réfugiai dans celle de Hélène où je passai le restant de la nuit. Le lendemain matin, le chien montrait clairement que la vue de la chambre hantée l'épouvantait encore. Je l'appelai pour l'y faire entrer avec moi mais il s'accroupit au sol, en mettant la queue entre les pattes; on voyait qu'il craignait d'y entrer...*

Le fauteuil de Versailles

En France aussi existent des maisons hantées. À Versailles (*Annales des sciences psychiques*, 1895), un fauteuil se mit à arpenter une pièce. Ainsi que l'écrit M. H. de W. au Dr Dariex:

Le même fauteuil reprit sa course à trois reprises différentes, en prenant soin, chose étrange, de ne heurter personne. En même temps des coups violents se faisaient entendre à l'autre coin de la pièce, comme si des maçons travaillaient dans la pièce voisine, qui était ouverte toute grande et parfaitement déserte. L'ami qui nous avait conduits lança son chien vers le coin de la salle: l'animal revint en hurlant, évidemment en proie à une terreur profonde. Il ne voulait plus remuer en aucun sens; son maître fut obligé de le prendre dans ses bras tant que nous restâmes dans la maison.

La frousse des chiens de garde

Dans les récits de phénomènes psychiques où se trouvent impliqués des animaux, écrit Bozzano, *il arrive très souvent de constater qu'ils perçoivent psychiquement des choses que les personnes présentes ne peuvent pas voir. Par contre, les cas où un animal se montre réfractaire à la production des phénomènes psychiques perçus par l'homme sont excessivement rares. Tout cela permet de supposer avec fondement que les animaux sont mieux doués que l'homme à cet égard.* Comme ils sont mieux doués à tous égards sensoriels, pourrions-nous ajouter.

Un jour, les deux redoutables chiens de garde se mirent à hurler en direction d'un des massifs du jardin, avec une telle persistance que M. de X. (propriétaire du château) crut que des malfaiteurs s'y étaient cachés. [...] On lâcha les chiens. Ils s'y précipitèrent avec fureur mais, à peine y eurent-ils pénétré, que les hurlements se changèrent en aboiements plaintifs, comme ceux des chiens recevant une correction; ils s'enfuirent, la queue basse et on ne put les y faire entrer de nouveau. Les hommes entrèrent alors dans le massif, le fouillèrent dans tous les sens et n'y trouvèrent absolument rien.

Ce qui ne veut pas dire qu'il n'y avait rien! Cette anecdote provient des *Annales des sciences psychiques* (1892-1893).

Un fantôme? Quelle joie!

Je me souviens, écrit Mme R. C. Morton à la Society for Psychical Research qui le publie dans le volume VIII de ses *Proceedings, de l'avoir vu,* à deux reprises différentes, courir au fond de l'escalier du vestibule en remuant joyeusement la queue et en faisant le gros dos comme les chiens ont l'habitude de faire alors qu'ils attendent des caresses. Il y courait avec un élan et une expression de joie, précisément comme si une personne s'était trouvée à cet endroit; bientôt pourtant nous le voyions s'échapper en toute hâte, la queue entre les jambes et aller se réfugier, tout tremblant, sous le sofa.*

Notre impression bien ferme était qu'il avait aperçu le fantôme [d'une femme en noir qui hantait cette maison]. Sa manière d'agir était absolument caractéristique.

Auparavant, le chien, un skye terrier qui dormait sur le lit de sa maîtresse, avait sauté au bas du lit malgré une attaque de rhumatisme pour aller renifler à la porte de la chambre au moment où madame entendit les bruits de pas (du fantôme) dans le couloir.

Un autre chien, un retriever, qui dormait dans la cuisine et qui n'était pas autorisé à monter dans les chambres, fut retrouvé à plusieurs occasions terrorisé, le matin. On le vit plus d'une fois, également, revenir du verger apeuré et même terrifié. Pourtant, ce n'était pas un chien anxieux et il était bien traité.

Ce dernier cas montre que la peur n'est pas la seule caractéristique comportementale du chien vis-à-vis des fantômes. Il peut aussi manifester une certaine joie, même transitoire. C'est vrai qu'on conclurait un peu vite au caractère superstitieux du chien, car ces fantômes, somme toute, ne font de mal à personne.

Un «poltergeist» dangereux

Il est rare qu'un *poltergeist* blesse un individu. Alors d'où provient cette peur chez des chiens qui n'y sont pas sujets d'habitude.

Ils ne sont pas dangereux? C'est à voir!

Ceci reste toutefois un cas exceptionnel.

Il est raconté par W. T. Stead dans *Borderland, a Casebook of True Supernatural Stories* publié en 1891 et édité de nouveau par University Books en 1970. Le témoin était un correspondant du *Chicago Press* et habitait à Statesborough, en Géorgie. L'histoire parut pour la première fois dans l'*Examiner* de San Francisco le 29 novembre 1891.

Les phénomènes se présentaient comme des bruits dans la maison, quand la famille s'était couchée et que les lumières étaient éteintes: portes qui claquent continuellement, objets renversés, sonnerie de la sonnette d'entrée et taquineries du chien, un mastiff puissant et intelligent.

Un jour, on trouva Don Cesar, le mastiff, dans le hall, aboyant furieusement et le poil hérissé de rage, les yeux fixés sur le mur devant lui. À la fin, il fit un saut en avant en poussant un grognement de fureur et retomba en arrière comme s'il avait été repoussé par une main puissante. À l'examen, on découvrit qu'il avait le cou brisé.

La chatte de la maison, au contraire, semblait plutôt trouver du plaisir à la compagnie du fantôme et franchissait souvent les portes comme si elle escortait quelqu'un qui lui caressait le dos. Elle montait aussi sur une chaise, se frottant et ronronnant comme si quelqu'un se trouvait sur le siège. Don Cesar et elle manifestaient ces comportements excentriques au même moment, comme si l'être mystérieux était visible de tous deux.

Ensuite, les phénomènes s'amplifièrent encore; les bruits réveillèrent la famille à n'importe quelle heure; un jour, au milieu d'une réunion avec des invités, des gouttes de sang tombèrent du plafond. À la suite de cela, la famille déménagea.

Mais ce qui nous intéresse ici, c'est que le chien a été blessé alors que le chat était tout réjoui. Et il est plus fréquent dans l'ensemble des histoires de ce type de voir des chats heureux en présence de fantômes et des chiens apeurés.

Un autre «poltergeist» taquin

En 1966, Mme Janet Harsley et sa petite fille Thérésa furent les proies d'un terrible *poltergeist.* Voici ce qu'écrivit Mme Harsley à Raymond Bayless.

Au début, les chiens semblaient nerveux et restaient près de nous, mais, à la fin, quand les choses se firent violentes, ils se cachaient sous les meubles et près de la porte de la pièce de devant. Un jour, l'un d'eux manquait et, après avoir fouillé l'appartement, nous l'avons retrouvé au-dessus de l'armoire de la chambre de devant, et nous avons dû monter sur une chaise pour l'en faire descendre. Une fois, nous avons vu le chiot dalmatien voler littéralement d'une chambre à l'autre. Et le caniche nain, La Fleurette, fut jeté du milieu du hall pour retomber à mes pieds sur le plancher du salon.

On comprend la peur des chiens, ayant reçu un tel mauvais traitement d'un *poltergeist* moqueur.

Kille

Un soir, à la campagne, raconte Nils O'Jacobson dans *La vie après la mort, j'étais dans la cuisine avec mon père, ma mère et mon frère. Notre chien Kille, mauvais chien de garde, était dans sa niche. Il ne grognait jamais et sympathisait avec tout le monde, bons ou méchants. «Quelqu'un vient dans l'allée de sable», dit mon frère, tendant l'oreille.*

Nous avions tous entendu des pas. Ils tournèrent le coin de la maison et arrivèrent à la porte de la cuisine. Kille commença à pousser un grognement sourd. On frappa à la porte. À la campagne, la coutume veut que l'on frappe d'abord à la porte extérieure. Ensuite, on ouvre soi-même, on entre et on frappe à la porte intérieure. Personne ne se soucia donc d'aller ouvrir.

Les coups redoublèrent. «Va ouvrir», dit mon père. Kille avait le dos rond, les poils hérissés. Ma mère alla ouvrir la porte intérieure. Kille se leva, vigilant, dressé sur ses pattes. Au moment où ma mère ouvrit la porte extérieure, il s'élança de sa niche pour se cacher dans le coffre de bois sous le fourneau.

Dehors, il n'y avait rien. Je me souviens parfaitement de la porte ouverte, du noir de la nuit, et de cette présence invisible. Mon frère et mon père sortirent voir si ce n'était pas un vagabond, mais il n'y avait personne. Le lendemain, un parent de ma mère vint nous raconter la mort d'un proche.

Quand, plus tard, je rappelai à ma mère ce mystérieux événement et lui demandai si elle s'en souvenait, elle me répondit seulement: «Oui, c'est le soir où Mans Nilsson est mort.»

Vieilles histoires et histoires récentes

À quelques exceptions près, ces anecdotes datent toutes du siècle passé. Est-ce dire qu'il n'y a plus aujourd'hui de fantômes ou de *poltergeists* ou que les chiens actuels ont perdu la faculté de les reconnaître? Ou est-ce plutôt l'évolution de la société qui se retranche derrière la toute-puissance de la science et occulte les phénomènes incompréhensibles?

Les *poltergeists* existent toujours. Écoutez les anecdotes suivantes relevées dans le livre de Brad Steiger. Bien sûr, des chiens sont présents et montrent par leurs comportements qu'ils perçoivent quelque chose, tout comme les humains. Mais perçoivent-ils la même chose?

Jupiter, le berger allemand

En septembre 1984, la romancière Rita Gallagher déménagea dans une vieille maison victorienne à Navasota, au Texas. Cette maison retirée semblait idéale pour son travail et elle l'appela la maison de l'inspiration.

Peu après 3 heures du matin, elle entendit des bruits de pas dans le couloir, dont un pied traînait, se dirigeant vers le large escalier. Brusquement, devant elle se matérialisa un jeune homme, de la crème à raser sur les joues. Et ce dernier disparut aussitôt.

De temps à autre, Rita Gallagher entendait des conversations chuchotées, des pleurs de femme à fendre l'âme, des bruits de verre, de la musique de piano ou le frottement d'un objet lourd tiré sur le sol. Des lampes étaient allumées ou éteintes, des robinets d'eau ouverts ou fermés. Des livres étaient extraits de la bibliothèque, restaient suspendus et tombaient sur le sol.

À la mi-octobre, sur la route de Beaumont, au Texas, où elle allait assister à une conférence d'écrivains, Rita s'arrêta pour visiter une amie et la trouva en larmes. Jupiter, leur berger allemand, était, semble-t-il, devenu brusquement agressif et devait être euthanasié. Rita Gallagher décida de l'adopter et le ramena à Navasota.

Arrivé à la maison, Jupiter décida de l'explorer et monta les escaliers. Il allait arriver au troisième étage lorsqu'il se raidit, poil hérissé, et fit demi-tour en hurlant pour se réfugier contre Rita, tout en regardant vers le niveau supérieur.

Après de nombreuses hésitations, Jupiter finit par trouver un coin calme au rez-de-chaussée, avec vue sur le hall. De cet endroit ou de la chambre de Rita, où il dormait sur le tapis, Jupiter assista jour après jour à des scènes irréelles, regardant passer des personnes inexistantes que Rita voyait elle aussi. Il enquêtait sur chaque nouvelle situation puis retournait se coucher. Il s'habitua rapidement à ce manège.

Un jour, Rita fut envahie par une sensation de froid glacial et se trouva dans l'incapacité de bouger, la respiration haletante et difficile. Elle était terrifiée, dans l'incapacité de parler ou de bouger. Jupiter grogna, menaça, se leva, le poil hérissé, mit en gueule le tissu du pantalon de Rita et la tira de toutes ses forces vers la porte. Instantanément, elle se sentit libérée et respira plus aisément.

Pendant les deux années et demie passées dans cette maison, Jupiter fut le gardien des jours et des nuits de Rita Gallagher, de ses étudiants et invités. Il perdit énormément de poids, dormait peu, était en permanence sur le qui-vive. Il déménagea sans doute sans aucun remords.

Reb, le beagle

Au printemps 1970, Reb vint habiter avec la famille Steiger en Iowa. Reb se révéla rapidement un grand ami pour les quatre enfants de 12, 10, 8 et 5 ans. Reb était un chien de garde impressionnant, accueillant les visiteurs, même ceux qu'il n'avait vus qu'une fois, et maintenant les étrangers et les démarcheurs à distance jusqu'à l'arrivée d'un membre de la famille. Quatre ans plus tard, la famille déménage à la campagne. Dès le premier jour, à un certain moment, Reb commence à grogner et à déambuler dans la cuisine. Brad lui ouvre la porte, croyant qu'il veut sortir. Le chien sort et Brad se rassied, ouvre son journal et sursaute car une importante explosion se produit dans la cave. À l'examen, la cave est intacte. Une explosion secoue alors le grenier. Il monte au grenier. Rien. Explosion dans la cave à nouveau. Brad redescend l'escalier. Il entend alors un bruit de claquettes provenant de la chambre de son fils Steven. Croyant que c'est Reb qui s'est enfermé par hasard, il met sa main sur la poignée pour ouvrir la porte lorsqu'il entend Reb aboyer dehors. Brad ouvre la porte, le bruit de claquettes disparaît. Et une nouvelle explosion se produit dans la cave.

Brad pense alors que quelqu'un, une présence invisible, se moque de lui. Il va à la cuisine, fait rentrer Reb et s'installe pour lire le journal, imperturbable, malgré les détonations, la danse de claquettes et autres bruits divers. Reb le regarde et, poussant un soupir, se couche.

Trois nuits après, Brad travaille tard à son bureau au village. Son fils Bryan l'appelle. Brad entend Reb aboyer furieusement et grogner de colère. Bryan lui dit que quelqu'un est dans la maison et monte l'escalier. Quand Brad arrive à la maison, tout est redevenu calme. Et Bryan lui raconte qu'il avait cru que la famille était rentrée, il avait entendu une voiture s'arrêter, les portières claquer, des rires et des voix. Reb s'était mis à grogner. Il n'y avait personne mais on frappait violemment à la porte d'entrée et ensuite à la porte de la cuisine. Reb devenait fou, grognait et montrait les dents. C'est à ce moment-là que Bryan et Reb se retirèrent prudemment dans la chambre du garçon.

Quelque temps plus tard, c'est Julie, 8 ans, qui entend des voix, des notes de piano et de trompettes, provenant de la chambre du père. Beaucoup plus tard, Julie réentendra cette musique qui sera identifiée comme une chanson de Glenn Miller des années 1940: «In the Mood».

Les Steiger ne restèrent pas plus longtemps dans cette maison et déménagèrent pour une habitation plus calme.

Horloge biologique

De nombreuses personnes, écrit Maurice Burton, *ont signalé qu'un chien se rendait à la gare où arrivait son maître au retour du travail. Le chien fait cela régulièrement et de façon ponctuelle. Dans de tels cas, il est toujours possible que le chien se rende compte, par un ensemble de petits événements, qu'il est l'heure d'aller à la rencontre du train. En d'autres mots, ce sens horaire supposé du chien ne serait pas tant lié à une horloge interne qu'à une connaissance des événements associés à l'heure de la journée.*

Les scientifiques ont recherché une horloge biologique depuis qu'on a découvert que des abeilles, des oiseaux et d'autres animaux étaient capables de se comporter en fonction des mouvements du soleil.

Dans le chapitre sur le *homing,* nous parlons des capacités (éventuelles, car ce n'est qu'une hypothèse) qu'ont le chien et d'autres animaux (mais c'est une réalité chez certains oiseaux) de connaître leur position en fonction du soleil mais, pour cela, il leur faut une horloge biologique sensible et précise. Existe-t-elle?

Un certain rythme circadien

Les événements, tout autour de nous, se passent avec un certain rythme et le plus évident d'entre eux est l'alternance de jours et de nuits (rythme circadien). En nous, les rythmes jouent également un rôle primordial. Chez l'homme, le taux de cortisol (hormone libérée par la surrénale et dont ont été dérivés les médicaments corticostéroïdes appelés d'habitude du nom péjoratif de «cortisone») est au plus bas vers 4 h du matin et au plus haut vers 4 h du soir, un peu comme chez le chat, d'ailleurs; chez le chien, par contre, ce taux est plus élevé le matin que le soir (quoique ce rythme soit très faiblement marqué chez lui). C'est pour mimer ce rythme que l'on donne ce type de médicament de préférence le matin aux chiens et le soir aux chats.

L'horloge biologique, physiologique, ou simplement l'horloge interne sont différents noms pour décrire les mécanismes (biochimiques) responsables de la notion du temps.

Ces mécanismes sont soumis à des rythmes; certains d'entre eux, dits circadiens, ont presque la durée d'un jour, soit 24 heures. En fait, ils sont synchronisés par l'alternance jour-nuit, donc par la rotation de la terre sur elle-même. Ce rythme est probablement déjà présent dans les cellules individuelles. Il influence la température du corps, la production des hormones, des enzymes digestives, des besoins physiologiques tels que la soif, la faim et l'élimination.

Si un chien présente, pour des raisons diverses (telles qu'une infection de la vessie ou un vieillissement du rein), une modification de son rythme d'élimination urinaire, il se pourrait qu'il souille la maison la nuit. Si ses capacités de retenir ses urines existent toujours (et cela dépend du sphincter de la vessie), il peut réapprendre à être propre très aisément, par exemple si on le sort plus souvent et si on le force à se retenir quand il est seul (en limitant l'espace mis à sa disposition et en profitant ainsi de cette propreté spontanée de la plupart des chiens qui refusent de souiller l'endroit où ils dorment et où ils mangent).

D'autres rythmes influencent le chien

Le rythme de la lune influence les marées et les animaux marins; mais aussi certains insectes (tels les éphémères des régions tropicales) et certains animaux terrestres, alors pourquoi pas le chien? Selon notre expérience, il y a plus d'accouchements au moment de la pleine lune et, aussi, plus de crises d'épilepsie. Cette affection n'était-elle pas appelée anciennement le *mal de lune*? D'autres influences extérieures semblent mettre leur empreinte sur l'épilepsie; les crises sont souvent regroupées, les propriétaires appelant le ou la vétérinaire dans une période de quelques jours.

Mais pour déterminer scientifiquement les effets de la lune sur le comportement du chien, il faudrait des études épidémiologiques et il n'en existe pas encore dans ce domaine très subtil de la cosmologie.

Le rythme circannuel est celui qui suit le cycle d'une année. Il influence tous les animaux, notamment par l'intermédiaire du climat et des saisons; celles-ci déterminent des variations de la production hormonale, de l'activation sexuelle, de la mue. Une horloge interne en est responsable, synchronisée par le rythme circannuel de la terre. Certaines personnes souffrent de ce rythme et présentent une dépression saisonnière en hiver, une forme d'hibernation comparable à celle des ours ou des marmottes, et qui se soigne par la privation de sommeil et des cures de lumière.

C'est aussi en raison de ce rythme circannuel que le chien continue à présenter une mue deux fois par an; mais cette mue est désormais mal synchronisée avec les conditions climatiques. Pourquoi?

Le chien ne vit plus dans les conditions naturelles qui ont sélectionné les paramètres physiologiques des animaux les plus aptes; il vit désormais dans un milieu douillet, chauffé et éclairé. Or, pour synchroniser l'horloge biologique circannuelle, l'organisme doit pouvoir déterminer le rythme des saisons en évaluant les quantités quotidiennes de lumière et de chaleur. Comme le chien reçoit autant de chaleur et de lumière en hiver qu'en été, le synchronisateur n'a plus guère d'effet; l'horloge interne récupère son rythme saisonnier personnel et, surtout, une énorme variabilité dans la durée de ses modifications de rythme.

Pour que le chien récupère ses rythmes circannuels, il faudrait qu'il vive au froid et avec 18 heures d'obscurité en hiver! Est-ce envisageable?

Le «homing» ou retour au foyer

Comme le titre de ce chapitre l'indique, nous allons parler de ces cas où le chien, emmené loin de son domicile, au cours des vacances par exemple, y revient après des jours ou des semaines d'absence.

Dans la littérature, et surtout dans les magazines de vulgarisation (avec une certaine recherche de la sensation), on trouve de temps à autre des anecdotes de ce type: un chien, transporté loin de chez lui, revient à son domicile plusieurs semaines plus tard, dans un état lamentable, les pattes en sang. Déjà, paraît-il, Baron, le chien de Victor Hugo, parti avec le marquis de Faletans à Moscou, revint deux mois plus tard au pas de la porte de son maître.

Le retour au gîte

Mais avant de citer quelques anecdotes, parlons de cette caractéristique, étudiée par les éthologues, qu'est le retour au gîte, qui représente autant le trajet que fait un animal pour rentrer chez lui après ses repas que les migrations les plus lointaines. Comment se fait-il qu'un puffin, transporté de son terrier en Angleterre jusqu'aux États-Unis, revienne à son terrier 13 jours plus tard après avoir accompli un voyage de plus de 4 500 km? McFarland écrit que «beaucoup d'animaux qui chassent, tels le lycaon ou la hyène tachetée, laissent leurs petits dans le terrier et font jusqu'à 30 km en une nuit».

Qu'en est-il de notre ami le chien? Il est sûrement aussi doué que ses confrères canidés dont les plus doués s'orientent sans nul doute sur des distances d'une trentaine de kilomètres sans le moindre problème, retrouvant au sol des traces odoriférantes et se servant de repères sonores et visuels qu'ils ont emmagasinés dans leur *mémoire* pour se guider. C'est ce qu'on appelle la *mnémotaxie,* ou orientation reposant sur la mémoire.

Mais quand le chien n'a pas la mémoire d'un lieu, que fait-il? Comment se dirige-t-il vers un but, ce qui est une autre prouesse au nom scientifique ravissant de *téléotaxie?*

Et que nous enseignent les anecdotes relevées dans la documentation spécialisée?

Bonnie

Ma sœur de Burlington, dans le Vermont, écrit Joseph Wylder dans *Psychic Pets, dut se séparer de son chien croisé collie, pour différentes raisons. Par l'intermédiaire d'amis, elle trouva pour Bonnie un foyer dans une petite communauté fermière à 70 milles (110 km) de là (un endroit où ni ma sœur ni Bonnie n'étaient jamais allées).*

Plusieurs jours avant qu'on la conduise, Bonnie devint agressive, mordant les invités, mâchant des pantoufles, gémissant sans raison apparente. Cela ennuya ma sœur, bien entendu, mais elle s'en tint à son projet de conduire Bonnie à son nouveau foyer. Le nouveau propriétaire fut ému de ce nouveau compagnon et admira sa beauté et son intelligence. Même Bonnie sembla redresser la tête sous les louanges de son maître. Ma sœur fit ses adieux à la chienne [...]. Bonnie la regarda partir.

Trois jours plus tard, Bonnie saluait ma sœur à leur ancienne demeure; elle semblait saine, pleine d'allant et très fière. Ma sœur fut étonnée par l'amour et la dévotion qui avaient motivé et guidé Bonnie pour toute cette distance — dans un territoire non familier [...] — cela lui sembla tout d'un coup plus important que toutes ses raisons antérieures de convenance et d'organisation pratique. Ma sœur changea ses plans et décida de faire un coin à Bonnie et de lui donner sa juste place dans la maisonnée.

Bobbie

Bobbie, le jeune chien collie de la famille Brazier, était en vacances avec ses propriétaires; au cours d'un arrêt à Wolcott, en Indiana, il vit une bagarre de chiens et sauta par la fenêtre de la voiture pour y participer. Quand ses propriétaires se rendirent compte de sa fuite, Bobbie était pourchassé par les deux autres chiens et disparut. La famille le chercha longtemps mais dut se résoudre à poursuivre le voyage sans lui. Lorsqu'il fut temps de rentrer chez eux en Orègon, ils prirent une tout autre route qu'à l'aller et passèrent par Mexico.

Six mois plus tard, un chien collie, meurtri, décharné, apparut sur le pas de la porte. Le collier, trois dents manquantes et une cicatrice oculaire permirent de reconnaître Bobbie.

Le colonel E. Hofer, président de la Humane Society de l'Oregon, a déclenché une très vaste enquête sur le voyage fantastique de Bobbie. Il reçut des centaines de lettres de gens qui avaient vu le chien. C'est sur la base de ces informations que Charles Alexander put reconstituer le trajet suivi par le chien et en narrer l'histoire dans son livre *Bobbie: A Great Collie of Oregon.*

Cette route était différente de celle prise par ses propriétaires, tant à l'aller qu'au retour. En fait, Bobbie se dirigea droit chez lui, traversant un territoire aussi épouvantable que les Rocheuses.

Stubby

Le Service international d'information des États-Unis publia le 5 avril 1950 la poignante histoire de Stubby. Je l'adapte d'après la narration qu'en a faite Brad Steiger.

Nous sommes en 1948. Della Shaw a 13 ans. Elle est muette et handicapée physiquement. Stubby est son compagnon de tous les jours.

Della et sa grand-mère visitent des amis à Indianapolis. Au retour, entre Indianapolis et Decatur, en Illinois, Stubby disparaît. Dès leur arrivée à la maison, le grand-père, Harry McKinzie, met des annonces dans les jour-

naux locaux mais ne reçoit aucune réponse. Des mois passent. Della perd le sourire. La famille déménage.

Dix-huit mois plus tard, à la fin du mois de mars 1950, Harry se promène par hasard près de leur ancienne maison au Colorado. Stubby est là, regardant en l'air, sale, amaigri, les pattes en sang. Stubby ne reconnaît pas Harry, qui le ramène à la maison. Par contre, Stubby reconnaît Della aussitôt et se précipite sur elle pour lui lécher le visage, tout en poussant des gémissements. Della retrouve le sourire.

Il y a peu d'autres histoires...

Et puis... Et puis on a peu d'autres histoires à raconter. Pourquoi?

Parce qu'il n'y a pas eu de publications sérieuses sur le sujet. Ni de la part des éthologistes, qui ne s'intéressent pas à ces cas marginaux, ni de la part des parapsychologues, qui préfèrent se pencher sur un comportement plus marginal et moins explicable encore: le pistage psi (voir prochain chapitre). Néanmoins, nous pouvons tenter de découvrir quelques informations sur les moyens utilisés par le chien pour franchir ces centaines de kilomètres qui le séparent du maître bien-aimé.

Explications

Les explications que l'on peut donner à ce type de comportement sont très hypothétiques. On a, en fait, deux problèmes à résoudre:

- Comment l'animal détermine-t-il la direction à prendre pour rentrer chez lui?
- Comment maintient-il cette direction jusqu'à arriver en terrain connu?

Dans le livre intitulé *Le chat cet inconnu*, j'ai décrit des anecdotes semblables dont les chats étaient les héros. J'ai émis plusieurs hypothèses. L'une d'entre elles est que les animaux se dirigent en fonction du soleil, en fait entre la position du soleil dans le ciel et celle qu'il devrait occuper à la même heure dans le lieu d'origine. Si l'animal a été déplacé vers le nord, le soleil se trouve, à la même heure, plus bas sur l'horizon (l'animal pourrait calculer la latitude en utilisant un sextant biologique) et l'animal redescend vers le sud. S'il a été déplacé vers l'ouest, le soleil, à la même heure, se trouve plus à l'est que dans sa mémoire (encore faut-il que son horloge biologique soit précise et qu'il possède un rapporteur biologique pour mesurer la distance et l'angle en degrés entre les deux positions du soleil afin d'obtenir sa longitude) et l'animal retourne vers l'est. Ces deux calculs se feraient en même temps et en quelques fractions de seconde dans l'inconscient de l'animal.

Est-ce bien ainsi que cela se passe? Cette hypothèse est en fait dérivée de celle que l'on utilise pour les oiseaux migrateurs diurnes (migration de jour) et pour les pigeons. Mais même chez les oiseaux, cela ne suffit pas: en effet, comment font-ils pour s'orienter quand le soleil est voilé?

À chaque question on découvre une réponse partielle. Si le ciel est voilé, ce n'est plus le soleil mais la lumière polarisée dont l'animal tiendrait compte. Ou alors l'animal est sensible aux ultraviolets qui franchissent même un épais manteau de nuages. Vraiment?

D'autre part, le chien qui ne se trouverait qu'à une faible distance de son domicile aurait des positions du soleil (ou de la lumière polarisée) très peu différentes pour faire ses calculs astronomiques. Tandis que le chien qui se trouverait à une très grande distance de son foyer verrait son horloge biologique s'adapter au rythme circadien (jour-nuit) des lieux traversés et perdrait très vite sa capacité à calculer sa longitude (l'horloge biologique n'est pas précise au point de «tourner» en 24 heures, mais elle se remet chaque jour à l'heure en fonction de la longueur du cycle jour-nuit de l'endroit où vit l'animal). Non, cette hypothèse n'est valable que pour des oiseaux capables de parcourir une centaine de kilomètres (ou plus) par jour.

Et pourtant, il semble que l'hypothèse de la «navigation céleste» soit applicable non seulement aux oiseaux, mais aussi aux poissons, aux grenouilles et aux crapauds, ainsi qu'aux reptiles et même à ce fossile vivant (espèce vieille de 250 millions d'années) qu'est la limule. Et il n'est pas certain que nous autres humains ne puissions en faire autant. Des tests de ce genre ont été réalisés avec des Pygmées (tests positifs) et il est bien connu que certaines tribus de Sibérie et des Inuit puissent en faire autant.

Alors, pourquoi pas le chien?

Le chat, suivant les expériences de Precht et Lindenlaub[6], aurait une idée de la direction qui serait indépendante de ses cinq sens ordinaires (un chat est emmené dans un sac obscur et lâché dans un laboratoire au milieu d'un labyrinthe à 24 sorties: le chat prend en général la sortie qui fait face à son domicile). En cela, il ressemble à l'abeille qui va à l'aventure, empruntant de nombreux détours, jusqu'à plus d'un kilomètre de distance, et qui s'en revient droit à la ruche, comme si son cerveau minuscule avait pris note de tous les va-et-vient, de tous les crochets qu'elle a réalisés, et pouvait déterminer la direction et la distance jusqu'à la ruche.

Le chien aurait-il ce même sens? Très probablement. Enfin, c'est à voir. Il y a peut-être d'autres réponses à envisager. Si un Touareg est capable de sentir un feu dans le désert à 50 km de distance, quelles seraient les capacités d'orientation olfactives du chien dont l'odorat est un million de fois supérieur à celui de l'homme? Si le chien retrouvait son chemin par l'odorat (et c'est probablement le cas sur de courtes distances), il se rapprocherait ainsi du saumon qui retrouve à l'odeur (ou au goût) le lieu de sa naissance après des semaines de migration de la mer jusqu'en haut des rivières où il va pondre. On pourrait aussi le comparer au papillon qui rejoint sa femelle éloignée de 1,6 km en 10 minutes (soit à la vitesse de 10 km/h) mais qui peut la détecter à 5, 10 et même 20 km de distance.

Si le chien avait une acuité olfactive telle qu'elle lui permette de retrouver ses propriétaires à plusieurs centaines de kilomètres de distance, en traversant plusieurs autoroutes et de nombreux autres environnements difficiles, sur une période de plusieurs semaines, alors ce sens de l'olfaction mériterait que les physiologistes se penchent sur le *homing* et sur le *pistage psi*.

Mais ils ne le font pas. Pourquoi?

Les expériences du Dr Hans Fromme avec des rouges-gorges ont montré que seul un abri en béton (aux parois de 15 cm d'épaisseur) ou une chambre en acier close pouvait désorienter les oiseaux. Si l'on entrouvre la porte de l'enceinte, ceux-ci reprennent la direction du sud-ouest. Il a pensé alors que ce type d'enceintes affaiblissait le champ magnétique extérieur et il soumit les oiseaux à de puissants champs magnétiques pour tenter de les désorienter. Rien n'y fit. En décalant leur horloge biologique? Sans effet. Et pourtant, certains oiseaux sont désorientés en passant près de radars puissants. Il ne reste plus qu'à chercher, et chercher encore, la mystérieuse source radio naturelle (terrestre ou tirant son origine dans la Voie lactée) qui dirige nos rouges-gorges et, probablement, nos chiens, nos souris, nos chats et beaucoup d'autres animaux.

La vérité, c'est que nous sommes mystifiés. Nous en sommes réduits actuellement à des suppositions. Ce qui est certain, c'est que cette information qui influence l'orientation de l'animal pourrait être indépendante des sens habituels: elle serait donc extrasensorielle. Elle est inexplicable par la psychologie et par l'éthologie traditionnelles, elle est donc «à côté» de la psychologie, en d'autres mots parapsychologique. Cela ne doit pas nous effrayer. La parapsychologie d'aujourd'hui ne fera-t-elle pas partie de la psychologie de demain?

Le nombre de chiens qui reviennent chez eux après avoir parcouru des dizaines ou des centaines de kilomètres est finalement très faible. Doit-on dès lors envisager un «sens» que posséderaient tous les chiens ou plus simplement penser à une qualité particulière que ne posséderaient que ces chiens extraordinaires? L'aspect marginal de ce phénomène appelle à l'hypothèse psi. Et si les chiens rentraient chez eux grâce à un lien psychique apparenté à la clairvoyance ou à la télépathie?

Chiens voyageurs

Quand un confrère vétérinaire m'a raconté qu'il soignait un chien qui prenait régulièrement le bus, le tram et le train et revenait toujours chez lui, j'ai souri.

Et pourtant!

Dans le chapitre précédent, j'ai soulevé la question de la *téléotaxie,* ou orientation vers un but. Les migrations s'expliquent, mal encore, par des orientations au soleil, à la boussole, etc. Mais quel est le but des chiens dont l'histoire va suivre?

Hobo

Hobo parut un jour de 1957 à la gare de Hopewell, en Virginie. Il prenait le train; au début, il se contentait de petits trajets mais bientôt il se mit à apprécier de plus grands voyages.

Suivant Doug Storer, auteur de *Amazing but True Animals,* Hobo a été remarqué dans le Sud, à Tampa, dans l'Ouest jusqu'à Cincinnati, voyageant sur le marchepied ou dans la cabine des locomotives, suivant que le temps était beau ou pluvieux, et n'empruntant que les lignes de la Seaboard et de la Norfolk & Western.

Malgré des voyages de plusieurs milliers de kilomètres, Hobo revenait toujours à la gare de Hopewell.

Owney

Owney est le champion du monde des voyages. L'histoire, que raconte Bill Schul qui la reprend à Eldon Roark (auteur de *Just a Mutt*),

NOS AMIS LES ANIMAUX   CHIENS HORS DU COMMUN

commence en 1888 à Albany, État de New York, lorsqu'un chiot se glisse dans le bureau de poste pour s'abriter du froid et s'y endort.

Il y est nourri par des employés compatissants et finit par être le chien du bureau. Mais regarder charger les sacs postaux a dû modifier quelque chose en lui et lui donner le goût de l'aventure, car il disparaît d'Albany pour plusieurs semaines. À son retour, les employés lui mettent au cou un collier muni d'une pièce d'identité et d'une plaque; ils demandent aux employés postaux qui rencontrent Owney de cacheter la plaque et d'ajouter le lieu et la date de son passage.

Owney voyagea dans tous les États-Unis et le nombre de plaques qui pendaient à son collier devint légendaire. L'employé général des postes lui donna un droit de passage à vie sur tous les wagons postaux et il lui offrit un harnais pour le soulager du poids des plaques qui pendaient à son cou.

En 1895, Owney était en Alaska et il descendit la côte du Pacifique jusqu'à Tacoma. Il suivit les sacs postaux à bord du S. S. Victoria, qui appareillait pour l'Est. Au Japon, Owney fut présenté au Mikado, qui le décora et lui fournit un passeport avec le sceau de l'empire.

L'empereur de Chine fit de même. Le voyage de Owney lui fit ensuite franchir le canal de Suez pour arriver en Méditerranée et ensuite traverser l'océan Atlantique. Et il rentra à la maison porteur de 200 médailles.

Quand Owney décéda, son corps fut empaillé par un taxidermiste, harnaché du collier ainsi que du harnais pleins de ses plaques et de ses médailles, et il fut exposé des années durant au Musée postal de Washington.

Explications

Il n'y a qu'une explication possible à de tels voyages, la seule qui vienne à l'esprit d'ailleurs: c'est que le chien soit remis dans un train en direction de sa gare ou de sa station d'origine par un homme, et non par sa propre volonté. Cela nécessite, bien sûr, qu'il porte une pièce d'identité sur lui, ce qui était le cas d'Owney. Mais cette explication fait perdre un grand charme aux anecdotes. On aimerait tellement que ces chiens soient partis seuls à la découverte du monde, comme les explorateurs des civilisations humaines, un peu comme des chiens-héros.

Mais l'homme aime rêver et créer des légendes et l'idée d'un chien-héros lui convient à merveille. N'oublions pas non plus que le premier vol habité dans l'espace fut celui d'un chien, une chienne en fait, nommée Laïka, qui occupait Spoutnik 2 et fut envoyée sur orbite le 3 novembre 1957.

Hector, le passager clandestin

L'histoire se passe en 1922. À Vancouver, dans l'État de Washington, un grand terrier noir et blanc monte à bord du S.S. Hanley, un bateau cargo. Le chien renifle à gauche et à droite et débarque. Le second officier Harold Kildall observe ce manège.

Le jour suivant, le bateau est en route pour Yokohama et Kildall se rend compte avec étonnement que le grand terrier est à bord. Le capitaine Warner aime les chiens, le terrier n'est donc pas jeté par-dessus bord. Il accompagne Kildall lors de ses gardes et se fait peu à peu apprécier par l'équipage.

Trois semaines plus tard, le S.S. Hanley décharge du bois dans la baie de Yokohama, le long d'un bateau hollandais, le S.S. Simaloer. Le chien devient particulièrement agité. Deux officiers et des membres d'équipage du Simaloer embarquent dans un sampan pour se rendre à terre. Le chien saute sur place et aboie. Un des passagers du sampan, Willem H. Mante, observe cette scène, agite les bras et crie... Quelques instants plus tard, Willem et son chien, Hector, se retrouvent avec enthousiasme. Willem, officier en second du Simaloer, et Hector avaient été malencontreusement séparés à Vancouver.

Comment le chien a-t-il réalisé cet exploit? Toutes les hypothèses sont permises, le hasard semble hors de question!

Un cocker nommé Joker

L'histoire fut rapportée par *The Associated Press* le 20 janvier 1958 avant de se trouver dans le livre de Brad Steiger.

Pendant la Seconde Guerre mondiale, le capitaine Stanley C. Raye fut envoyé dans le Pacifique sud. Il laissa son chien cocker à la maison, à Pittsburg en Californie. Le chien disparut deux semaines plus tard. Il fut aperçu à Oakland, à une cinquantaine de kilomètres de Pittsburg. Joker embarque incognito sur un bateau de transport militaire. Il évite d'être jeté par-dessus bord et est adopté par un major.

Le bateau s'arrête dans différents ports. À chaque fois, Joker se met à la proue et renifle les effluves du port. Après plusieurs escales, le bateau atteint une petite île du Pacifique sud. Joker débarque et s'enfuit à terre. Son nouveau maître le poursuit. Joker court, s'arrête enfin et aboie de joie aux pieds du capitaine Raye. Joker et Raye restèrent inséparables jusqu'au décès du chien en 1958 à Great Falls dans le Montana. Il était âgé de 14 ans et demi.

Quel chien peut se vanter d'avoir retrouvé seul son maître à l'autre bout du monde?

Chiens perdus

Un chien de berger, écrit Joseph Wylder, *était assis le long d'une autoroute en Ohio, faisant face à la longue route montagneuse. Il était évident, pour tous ceux qui passaient là, que le chien attendait un propriétaire absent. La nuit, le chien abandonnait son attente et chassait ou cherchait de la nourriture. Mais dès le début du jour, le fidèle et patient animal était de retour à son poste le long de l'autoroute, regardant dans la même direction. Il était amical avec les gens du coin, qui le caressaient et lui apportaient à manger, mais quoi qu'ils fassent pour le tirer de là, l'attirant avec de la nourriture ou l'amenant dans un abri douillet et dans un environnement aimant, il refusait «poliment» et reprenait sa garde.*

Cette histoire émouvante contient trop de questions qui restent sans réponse: Qu'attend ce chien? A-t-il été abandonné? Pourquoi ne part-il pas à la recherche de son propriétaire? Pourquoi reste-t-il fixé à un même endroit?

Il nous semblait intéressant, cependant, de faire contrepoids à toutes ces histoires, véridiques, intéressantes, mais rares tout de même, dans lesquelles l'animal retrouve ses maîtres après des dizaines ou des centaines de kilomètres d'une marche harassante pour aboutir les pattes en sang devant des humains émus et reconnaissants.

Il y a des chiens qui ne partent pas, ne s'orientent pas et restent bloqués, inhibés, au même endroit, sur les lieux mêmes de leur perte ou de leur abandon. Ces cas, tout aussi rares dans la documentation que les anecdotes de *homing* ou de pistage psi que nous relatons dans d'autres chapitres, ne sont-ils pas tout aussi remarquables? L'espoir obstiné du retour du maître, en dépit du temps qui passe, n'est-ce pas une merveilleuse preuve d'amour et de fidélité?

À moins qu'il ne s'agisse tout simplement d'une obstination irréfléchie?

Un autre chien sans nom, continue Wylder, *prit une résidence similaire le long d'une route d'Angleterre. Il a vécu entre deux panneaux de signalisation pendant des années, ne cherchant manifestement aucune compagnie et attendant le retour de son maître. Finalement, les gens du coin lui fabriquèrent une niche pour l'aider à s'abriter de la pluie et des vents d'hiver. Ils se mirent aussi à nourrir le chien qui semblait reconnaissant. Néanmoins, il n'avait aucune envie d'établir des relations sociales avec eux.*

De telles histoires sont fascinantes, je pense, parce qu'elles ne sont pas réellement expliquées par ce que nous connaissons du comportement animal. On pourrait penser que, de leur propre gré, ces chiens qui attendent (en vain) auraient pu se ranger dans une meute de chiens locaux ou accepter d'être adoptés par les gens qui, invariablement, sont émus à la vue de ces chiens solitaires et vigilants, qui observent une chaussée vide.

Il semble, dit Wylder, *que de nombreux animaux de compagnie soient incapables d'utiliser leurs pouvoirs psychiques.*

Les animaux, comme les hommes, semblent avoir des capacités psychiques qui diffèrent. Cette variance dans la capacité de pistage psi peut expliquer le cas des animaux qui se perdent et ne trouvent jamais leur chemin pour rentrer chez eux. D'autres facteurs y contribuent: une absence de confiance en soi, un manque d'autonomie, une intelligence réduite, etc. Mais l'obstacle majeur à l'utilisation du sens de pistage ou du retour au gîte est peut-être le manque d'ouverture, chez le propriétaire, des canaux de communication psychique qu'il a avec l'animal perdu — alors même qu'il aimait intensément son compagnon animal. L'amour est une base nécessaire aux relations, mais l'amour nécessite aussi des communications «ouvertes». Sans le lien entre l'animal et l'homme, la connexion entre les deux est vulnérable et peut disparaître au cours d'une crise, d'une urgence ou d'une séparation.

C'est une idée personnelle et nous laissons à Joseph Wylder le soin d'en assumer la responsabilité.

Empathie

L'empathie est cette qualité qui permet à un individu de communier avec les sentiments, les émotions et les souffrances d'autrui. Plus que la sympathie, qui permet de comprendre, de soutenir et d'encourager autrui dans ses bonheurs et ses malheurs, l'empathie fait réellement partager l'émotion. En voici un exemple.

Après m'avoir appelé pour récupérer un chat blessé, coincé dans un moteur de voiture (moteur que l'on a dû partiellement démonter), la dame (elle-même propriétaire d'un chat) qui participait au sauvetage, qui avait vu l'animal blessé (les muscles broyés, la peau déchirée sur une dizaine de centimètres et une patte écrasée) avait eu des cauchemars et des douleurs abdominales toute la nuit qui suivit et ne fut apaisée que lorsque je la rassurai sur la santé du chat.

Une méthode d'apprentissage

Nous avons vu, dans le chapitre sur le chien psycho-analysé, que différentes écoles philosophiques s'affrontaient en psychologie: les behavioristes et les autres. Une école en particulier fait la part belle aux compétences cognitives de l'animal. Et, historiquement, ces «cognitivistes» pensaient que la connaissance et l'apprentissage se faisaient par intuition, par *insight,* et que les événements de l'environnement (récompenses, punitions et autres renforcements et conditionnements) ne contrôlaient pas le comportement comme dans le behaviorisme strict, mais étaient intégrés à des structures internes ou *gestalt.*

Après les fondateurs du *gestaltisme* et l'intervention de behavioristes cognitivistes comme Tolman, vient Piaget qui décrit, entre autres choses, des phases successives dans l'élaboration des structures de l'intelligence. Le stimulus ne s'impose pas au sujet (comme dans le behaviorisme strict) mais ce dernier construit sa relation avec le stimulus. Et si Piaget admet un certain tâtonnement, il ne peut admettre un tâtonnement au hasard (comme dans la loi des «essais et erreurs» de Thorndike), l'activité tâtonnante étant dirigée par une compréhension relative de la situation antérieure.

Enfin Bandura, depuis les années soixante-dix, associe l'approche cognitive à l'analyse behavioriste. Il dépasse ce qu'il nomme le behaviorisme «périphérique» pour entrer dans l'*apprentissage social,* le *behaviorisme cognitif,* dans lequel comportement et pensée sont unifiés. Bandura met l'accent sur le rôle important des processus vicariants (observation, imitation), symboliques et autorégulateurs dans le fonctionnement psychologique.

Voilà où nous voulions en venir: l'apprentissage par imitation. Pour imiter autrui, il est nécessaire de se représenter, pour soi-même, ce qu'un comportement ou une situation apporte à l'autre. C'est de l'empathie.

Un grand nombre de chiens qui refusent un aliment se mettent à le manger s'ils voient un autre chien s'en régaler. Pourquoi? Parce qu'ils arrivent à communier avec le plaisir que le congénère ressent à manger cet aliment; dès lors, ce plaisir par individu interposé s'oppose à leur refus précédent et ils subissent une modification de pensée et de critères d'évaluation de cet aliment; ils s'en régalent d'avance, se doivent de le tester et, finalement, ils le trouvent à leur goût et s'en régalent eux aussi.

L'empathie est à la base d'un processus d'apprentissage phénoménal et dont ne tiennent pas assez compte les éducateurs et les dresseurs de chiens. L'une des erreurs fréquentes rencontrées sur les terrains de dressage est de donner en même temps les leçons de base d'éducation à l'obéissance et, sur une autre partie du terrain, des dressages de mordant sur «apache». Le chien qui n'a pas encore acquis l'obéissance de base voit d'autres chiens se réjouir, exulter littéralement, de mordre; il apprend ainsi à augmenter son mordant, sans qu'il soit conditionné par l'art du dressage aux situations adéquates. Il y a donc risque qu'il généralise ce comportement à des situations de son choix. Ce qui serait dangereux!

Compassion

Reprenons l'une ou l'autre anecdote de Bill Schul.

Un jour d'hiver, pendant une tempête de neige, un chauffeur de taxi dut s'arrêter pour ne pas renverser un berger allemand qui se tenait au milieu de la route. Il cria après le chien; mais celui-ci ne voulait pas bouger. Le chien vint à la vitre de sa portière, gémit, puis se dirigea vers le bord de la route. Le chauffeur de taxi descendit de voiture et découvrit un caniche blessé. Le berger restait auprès de lui et agitait la queue. Le chauffeur emporta le chien dans son taxi et, quand il se retourna, le berger avait disparu.

Le Dr W. F. Sturgill, médecin et président de la National Foxhunter Association, dut soigner le chien d'un ami pour une blessure qu'il s'était infligée avec des fils de fer barbelés. Un an plus tard, le médecin entendit un grattement à sa porte; il ouvrit la porte et vit le chien de son ami accompagné d'un autre chien blessé à la patte. Il s'occupa des blessures du chien et les deux compères s'en allèrent ensemble.

Une belle leçon de compassion!

Altruisme

Selon Eibl-Eibesfeldt, «le premier à avoir mentionné le problème de l'altruisme est Darwin (1859), à propos des insectes sociaux, problème qui lui apparaissait comme étant "insurmontable et véritablement fatal" à sa théorie». Ensuite, cette question a été le propos d'un nouveau groupe scientifique, les *sociobiologistes,* qui tentent d'intégrer les théories génétiques et écologiques et s'intéressent notamment au calcul du coût et du bénéfice d'un processus ainsi qu'à sa sélection pour obtenir une meilleure survivance génétique.

On en arrive alors à l'idée d'un gène, ou d'un ensemble de gènes, de l'altruisme qui subit la pression de la sélection individuelle, familiale et sociale. E. O. Wilson émet même l'idée d'un altruisme fort et d'un altruisme faible; l'altruisme fort étant «une aptitude inconditionnelle et spontanée à aider, allant jusqu'au sacrifice de soi au profit de sa famille ou d'un petit groupe». L'altruisme faible est réciproque, mutuel, et amène «à être prévenant avec des étrangers et à coopérer avec eux au lieu de les concurrencer, ouvrant ainsi la possibilité de construire une communauté mondiale» (Eibl-Eibesfeldt).

L'altruisme prend dès lors figure scientifique. Mais il reste néanmoins une attitude hors du commun.

Parmi les chiens altruistes, il me faut citer Rags, «la seule habitante de la prison de Sing-Sing qui soit là de son propre chef» (Bill Schul).

Au cours de l'automne 1929, Rags, une chienne de type terrier, se présenta à la prison. Elle y vécut 12 ans. Sa vocation fut d'aider les prisonniers et d'égayer un peu l'atmosphère; elle inventa des mimiques, des grimaces et des tours d'acrobatie pour amuser les prisonniers. Elle faisait tous les jours le tour des couloirs, des cellules et des lits d'infirmerie.

Rags témoignait de l'amitié à tous les prisonniers mais n'en montrait ni aux gardiens ni aux visiteurs; elle mangeait à une table différente tous les jours. Elle s'occupait particulièrement des prisonniers isolés et déprimés, tentant de les faire joindre un groupe. Un jour, elle s'accrocha aux pas d'un prisonnier qui désirait se suicider; chaque fois qu'il cherchait à sortir de son lit pour se pendre, Rags grognait et le prisonnier se recouchait de peur qu'elle n'ameute les gardiens.

Aujourd'hui, les chiens ont réintégré de nombreuses prisons, non par leur propre volonté mais parce que l'humanité considère comme nécessaire et juste de permettre aux prisonniers d'obtenir aussi quelque amitié et, par l'intermédiaire de l'animal, d'augmenter leur qualité de vie et la profondeur de leurs sentiments.

Une association internationale a vu le jour récemment, regroupant toutes les organisations nationales dont le rôle est de promouvoir la relation entre l'homme et les animaux; il s'agit de l'I.A.H.A.I.O. pour International Association of Human-Animal Interaction Organizations ou Association internationale des organisations pour l'interaction entre humains et animaux.

Longue vie à l'I.A.H.A.I.O.!

Sauveteur

Au-delà de l'empathie, du sacrifice de sa vie pour donner de l'amitié à autrui, il y a les chiens sauveteurs. Bien sûr, vous penserez aux chiens d'avalanche et de décombres, formidables auxiliaires pour sauver des vies humaines, mais il y a aussi d'autres chiens…

Spot, un pompier pas comme les autres

L'histoire de Spot fut racontée en 1970 par Vincent et Margaret Gaddis dans *The Strange World of Animals and Pets*. Spot était la mascotte des pompiers de Camden, dans le New Jersey; il accompagnait les pompiers et assistait aux combats contre le feu.

Un jour, Spot emménagea en face de la caserne, chez Mme Anna Souders, une veuve qui vivait avec ses deux enfants, Nora, 11 ans, et Maxwell, huit ans.

Une nuit, Spot fut réveillé par l'odeur de fumée; il aboya, se précipitant d'une pièce à l'autre, se jeta contre la porte de la chambre de Mme Souders, ouvrit la porte, courut vers le lit, arracha les couvertures. Mme Souders réveilla ses enfants, ouvrit une fenêtre, appela au secours puis tomba évanouie. Spot continua à aboyer à la fenêtre et attira l'attention d'un policier. Tout le monde fut sauvé. Spot refusa de quitter la maison avant que tout le monde soit hors de danger.

Jack, le dalmatien

Jack, un dalmatien mascotte de l'Engine Company 105 de Brooklyn, reçut la Medal of Valour de la Humane Society de New York pour l'exploit suivant.

Un jour qu'il était sur le camion des pompiers, un enfant de trois ans se jeta devant le camion; le conducteur appuya de toutes ses forces sur le frein, mais il se rendit compte que le poids du véhicule et sa vitesse étaient trop grands et que... Jack sauta du camion, dépassa le véhicule, se saisit du gamin et le fit rouler hors du circuit des roues meurtrières dans la fraction de seconde précédant l'impact éventuel.

Katrina, Ève, Tess et les autres

Voici quelques récits de chiens extraordinaires que j'emprunte au livre de Brad Steiger.

Le 18 septembre 1989, des mains du maire de York City, Fergy Brown, Katrina a reçu, au cours d'une cérémonie spéciale en son honneur, la médaille la couronnant Animal de l'Année. Katrina est un labrador, chien guide pour sa propriétaire de 35 ans, Diane Motchuk. Katrina, qui n'avait jamais participé à une bagarre de chiens, s'est interposée entre sa maîtresse et un pitt bull qui les attaquait. Diane entendit des bruits atroces de bagarre, des aboiements, des grognements, des coups de dents, des gémissements... Des gens criaient et se précipitaient. Diane ne savait pas quoi faire et se jeta dans la mêlée. Elle trouva les mâchoires du pitt bull enfoncées dans la nuque de son labrador. Elle ne pouvait rien faire. Après ce qui lui sembla être une éternité, le propriétaire du pitt bull arriva, frappa les chiens et emmena son animal en laisse. Katrina fut emmenée chez un vétérinaire et récupéra de ses blessures.

Kathie Vaughan est paraplégique depuis 6 ans. En ce jour d'hiver de 1991, Kathie, 41 ans, conduisait sa camionnette quand, brusquement, celle-ci s'arrêta en faisant un bruit étrange. De la fumée envahit la cabine. La camionnette est en feu. Kathie crie, elle hurle à Ève, sa chienne rottweiler, qu'elles doivent sortir du véhicule. Kathie ouvre la porte, pousse Ève dehors, attrape sa chaise roulante et la jette hors de la camionnette. Aveuglée par la fumée, intoxiquée, perdant connaissance, elle cherche désespérément à ouvrir sa chaise roulante pour pouvoir sortir du véhicule. Impossible. Elle a de grandes difficultés à respirer. Elle va mourir.

Brusquement, une force lui agrippe le bras. C'est Ève qui vient à la rescousse. Cette prise étant inefficace, elle prend la cheville de Kathie entre ses mâchoires et l'extrait de la camionnette. Kathie perd conscience. Elle se retrouve à plusieurs mètres du véhicule quand celui-ci est envahi par les flammes. Ève continue à traîner sa maîtresse vers un endroit moins dangereux.

La police arrive rapidement sur les lieux. Ève, dans son excitation, interdit à quiconque de s'approcher de Kathie. Pourtant, l'automobile risque d'exploser à tout moment. Kathie commence à ramper vers la voiture de police. Là, Ève permet enfin à un policier d'aider Kathie à se mettre en totale sécurité.

Tess est un labrador noir. En cette chaude journée de juillet 1991, Tess se promène sur la plage avec sa propriétaire Heather Hodder. Brusquement, Tess se met à courir avec frénésie vers une piscine naturelle. Là, elle aboie en proie à une grande excitation. Un petit corps inanimé flotte sur l'eau. Pendant que Tess se jette à l'eau, Heather crie à l'aide.

Tess agrippe le pantalon de l'enfant et le ramène vers la berge. Alertés par les cris d'Heather, les parents et l'oncle de l'enfant se précipitent. Dean Wines, le père, et Clive Oram, son beau-frère, arrivent au moment même où Tess sort l'enfant de l'eau. Clive pratique sur l'enfant les techniques de récupération respiratoire et cardiaque et l'enfant revient lentement à lui.

Oliver est un yorkshire terrier de 5 kilos qui fit honneur en automne 1991, à Buffalo dans l'État de New York, à cette sage sentence: «Ce qui importe n'est pas la taille du chien dans la bagarre mais la taille de la bagarre dans le chien.»

Oliver surveillait la rue quand il vit un énorme akita inu (une sorte de chien japonais) se jeter sur une vieille dame de 79 ans. L'akita mordit la pauvre dame au bras, et secoua sa prise comme il l'aurait fait d'un lapin. Il se mit à arracher des morceaux de chair et à les avaler.

Oliver traversa la rue à toute vitesse pour combattre le titan. L'akita lâcha sa proie pour répondre à cette nouvelle menace. Et Oliver s'échappa, l'akita à ses trousses. Les voisins purent porter secours à la vieille dame.

Oliver se réfugia sous une voiture, loin des dents de l'akita.

Trixie

Sydney, Australie. Jack Fyfe, 75 ans, s'est couché la veille en pleine forme. Mais, ce matin, il se réveille en plein cauchemar. Il est complètement paralysé. Une hémorragie cérébrale, sans doute, l'a épargné, mais il est incapable de bouger. Il essaie de rouler hors du lit, pour atteindre le téléphone, mais il est incapable de faire le moindre mouvement. L'horreur de la situation est qu'il vit seul et n'attend aucun visiteur.

Jack crie, mais ses cris ne sont rien d'autre que des chuchotements. Il fait chaud, de plus en plus chaud. Jack est près de sombrer dans l'inconscience.

Trixie, son croisé border collie de 6 ans, est inquiète, elle aussi. Brusquement, elle file à la cuisine, lape un peu d'eau, court vers Jack et laisse tomber quelques gouttes sur son visage, dans sa bouche. Elle répète ce manège plusieurs fois. Les heures et les jours passent, et le bol est vide.

À ce moment-là, la chienne fait preuve d'un comportement très intelligent. Elle se saisit d'un essuie-mains et court aux toilettes, le trempe dans la cuvette et le ramène à Jack qui absorbe ainsi quelques gouttes de précieux liquide vital.

Le neuvième jour, Jack entend du bruit; Trixie aboie. La fille de Jack, inquiète, est venue avec du personnel paramédical. Jack est sauvé.

Ivy et Ernest

Dans les montagnes boisées près d'Albuquerque au Nouveau Mexique, juin 1989, 20 heures. Le petit Ernest, deux ans, a disparu, sans doute en compagnie de Ivy, le chien de la famille.

James et Angeles Mann l'ont cherché partout, en vain. La température descend vers les 5 °C. Le petit Ernest, seulement vêtu d'une chemise de coton, ne tiendra pas à ces basses températures. De plus, la montagne est peuplée de prédateurs: coyotes, pumas, ours... Leur inquiétude monte, à la limite de la panique. Les Mann appellent le shérif Ed Craig de Cibola Country et une battue est organisée d'urgence.

La panique augmente lorsqu'on se rend compte que le «détective» du groupe de recherche n'arrive pas à retracer les deux disparus. La nuit tombe.

Au matin, la battue est constituée d'une centaine de personnes, à pied, à cheval et en hélicoptère.

Vers 10 heures, un chien noir apparaît et s'approche des personnes. Le chien va d'une personne à l'autre, s'approche d'un homme et lui saisit délicatement le poignet entre ses dents. Le groupe se met à suivre le chien. Le chien noir les mène droit vers Ernest et Ivy. Le spectacle est incroyable. Ernest est endormi avec autour de lui Ivy et un chien féral. Le chien noir court vers l'enfant et se roule en boule contre lui.

Le shérif s'approche, les chiens s'écartent; il prend l'enfant dans ses bras, les chiens le regardent et disparaissent dans les fourrés pour ne plus être revus. Ivy suit. Ernest est sauvé.

De vrais Mowglis: Kamala et Amala

1920, Midnapore, en Inde. Les habitants du village de Godamuri voudraient être débarrassés de fantômes. Vers qui se tourner, qui appeler à l'aide sinon le révérend J.A.L. Singh, un missionnaire anglican, directeur de l'orphelinat de Midnapore.

Le révérend se rend à Godamuri, fait construire une plate-forme identique à celle utilisée pour la chasse au tigre et se met à observer. Le temps passe. Brusquement, trois loups apparaissent, suivis de deux louveteaux et des deux fantômes. Ces derniers ont une tête énorme, évoluent à quatre pattes, mais ces pattes sont des mains et des pieds. À leur vue, les indigènes s'évanouissent dans la nature.

En six jours, le révérend organise une battue avec les indigènes et ils découvrent la tanière des loups. Ils sont obligés de tuer la louve, pour accéder, en creusant, au centre de la tanière. Là, les fantômes révèlent leur vraie identité: ce sont deux petites filles. Le révérend les emmène à l'orphelinat de Midnapore et commence la tâche ardue de leur donner un rudiment de culture humaine.

Il donna aux enfants les noms de Kamala et Amala. Kamala semble avoir 9 ans, Amala seulement 2. Elles marchent accroupies, à quatre pattes, grognent et montrent les dents aux étrangers tout en cherchant la compagnie des chiens. Elles déterrent les os, mangent à pleine bouche de la viande avariée et chassent les vautours qui voudraient emporter des restes. Elles dorment la journée et s'activent la nuit, s'échappant de l'orphelinat pour chasser.

Amala décéda 11 mois plus tard. Kamala commença à montrer quelques signes de tolérance envers les humains et le révérend arriva à lui faire porter un pagne, à la faire se tenir debout et marcher sur ses deux jambes. Son vocabulaire s'accrut jusqu'à une trentaine de mots. Il lui fallut quelques années pour «s'humaniser», c'est-à-dire manger à table, aider le révérend à surveiller les jeunes enfants et aller à l'église.

Kamala décéda le 26 septembre 1929 d'urémie.

Cette histoire vraie, racontée par Brad Steiger et aussi par des scientifiques réputés, pose des questions extraordinaires qui restent sans réponses à ce jour. Pourquoi ces deux enfants ont-elles été élevées par des loups au lieu d'être dévorées?

Cependant, elle prouve que les petits, qu'ils soient de race animale ou humaine, naissent sans savoir à quelle espèce ils appartiennent. Ils l'apprennent par un mécanisme d'apprentissage appelé «imprégnation».

Kamala et Amala avaient une identité de loup. Kamala n'a acquis de la culture humaine qu'un vernis superficiel lui permettant de se comporter au milieu des hommes. On en conclut que la culture possède une toute-puissance dans le modelage des comportements humains et probablement même du fonctionnement du cerveau.

Skaapie et Danny

Springs, Afrique du Sud, octobre 1990. Un enfant de 23 mois est découvert dans un chenil, sous la protection d'un chien, Skaapie. La mère de l'enfant, Linda H., 32 ans, alcoolique, reconnut avoir laissé le chien éduquer l'enfant. Danny, petit pour son âge avec ses 8 kilos, marchait à quatre pattes, grognait et gémissait comme un chien, et mangeait accroupi à même le sol. La mère lui donnait un bol d'aliments chaque jour, mais était incapable de remplir ses devoirs de mère.

Danny fut enlevé à sa mère humaine et à sa mère de remplacement, la chienne. Skaapie décéda 3 semaines plus tard, sans doute de dépression réactionnelle.

Cette anecdote démontre qu'aujourd'hui encore, l'histoire de Mowgli pourrait se répéter. Cependant, la majorité des cas rencontrés sont des abandons partiels d'enfants obligés de se débrouiller seuls au milieu d'animaux.

En automne 1992, en Iowa, nous raconte Sherry Hansen, un fermier s'arrêta chez un voisin pour acheter quelques tomates. Les chiens aboyèrent, mais un aboiement spécial attira son attention. S'approchant, il vit un jeune garçon aboyer et grogner au milieu des chiens. L'enfant était hyperactif; dès l'âge de 2 ans, ses parents l'avaient abandonné au chenil, au milieu des chiens, où il vécut 7 ans. Il aboya, menaça et chercha à mordre les assistants sociaux qui vinrent le chercher. Plus tard, en milieu hospitalier, il tournait autour des chaises avant de s'asseoir.

Élevés par des animaux

L'éthologie, cette science de l'observation des êtres vivants, nous a démontré toute la variété et la richesse des comportements humains et animaux. Dans certaines cultures, des femmes allaitent des chiens ou des porcelets. Et des loups, des chiens ou des cochons élèvent des enfants avec tout l'amour animal dont ils disposent. Encore en 1991, des scientifiques chinois ont révélé qu'une gamine de 6 ans, Xian Feng, rejetée par son père qui voulait un fils, négligée par sa mère malade et alitée, avait été élevée pendant 4 ans au milieu des cochons, était allaitée par une truie et avait adopté leur façon de vivre et de se comporter.

Cette petite fille fut «récupérée» et se développa pour devenir une adolescente, douce, simple et aimable.

Il y a bien d'autres anecdotes et vous en connaissez sûrement. La télévision, les magazines, les médias en général en citent régulièrement et c'est chaque fois un régal pour le lecteur ou le spectateur. Comment de tels exploits sont-ils possibles? Et pourquoi une telle abnégation de l'animal? Pourquoi risquer sa vie pour l'autre, et aller à l'encontre de tous ses instincts de survie?

«Canis sapiens»

On comprend qu'une mère défende ses petits; c'est inscrit dans les stratégies d'une espèce: la chienne doit défendre sa portée au risque de perdre sa propre vie, même si elle n'a pas la conscience philosophique de la notion de mort. C'est une chose normale parce qu'elle défend ainsi l'expression de ses propres chromosomes, de sa propre survie par chiots interposés.

Mais c'est une stratégie calculée, car si la nichée est incapable de survivre sans son aide, si le risque pour la mère est trop important et si la possibilité d'avoir une autre portée dans un délai limité est élevée, alors la nichée sera sans doute sacrifiée.

Pourquoi un chien défendrait-il un humain, au risque de sa propre existence? L'humain est-il considéré comme l'un des petits du chien? Si c'était vrai, cela montrerait un réel trouble d'identité ou une surprenante évolution de l'image de soi chez le chien, qui se verrait comme un chien-homme, comme un être à mi-chemin entre chiens et humains, comme un *canis sapiens,* sans doute.

Le chien et la mort

Quand le colley fut découvert, il était tellement faible qu'il ne pouvait pas se lever[...] Il avait gardé le corps de son maître pendant près de trois mois[...] Quand on l'a découvert, Ruspwald, le croisé colley de 14 ans, était couché, à peine conscient, à côté du corps de Graham Nuttal, 41 ans, qui avait, semble-t-il, souffert d'une attaque cardiaque alors qu'il se baladait dans les montagnes couvertes de givre du pays de Galles[...] (Sherry Hansen)

Comment le chien perçoit-il la mort de ceux qui l'entourent, celle de son maître, d'un congénère? Les chiens se suicident-ils? Les chiens ont-ils une réaction de deuil?

Le chien et la mort du maître

Le mercredi 17 août 1988, je reçois un appel téléphonique d'une dame d'une ville voisine qui s'inquiète parce que, depuis deux semaines, son chien fuit la maison, se débattant d'ailleurs si elle veut le retenir, et s'en va au cimetière sur la tombe de son mari décédé depuis sept semaines. «Pourquoi fait-il ça?»

Qui pourra répondre?

L'histoire serait exceptionnelle si elle ne se répétait pas. Par contre, elle serait banale si elle se répétait souvent. Mais tel n'est pas le cas.

Joseph Wylder raconte ainsi l'histoire de King. Cela se passait en 1975. King, un berger allemand, appartenait à une petite famille qui tenait un magasin; en fait, il était surtout attaché au grand-père, qui était malade et dont la fin était proche. Au fur et à mesure de l'aggravation de sa maladie, King devenait plus renfermé et plus silencieux, déprimé, pourrait-on dire. Le jour du décès, il se mit à gémir, à hurler, à aboyer et à gratter aux portes.

Au moment des funérailles, King disparut. La famille le chercha pendant trois semaines jusqu'à ce que, finalement, quelqu'un propose d'aller voir au cimetière. Là on leur signala qu'un berger allemand venait régulièrement au cimetière, l'après-midi, à 2 h. King venait se coucher sur la tombe du grand-père et gémissait ou hurlait. Mais si quelqu'un tentait de l'approcher, il grondait, menaçant.

Shep appartenait à Francis McMahon.

Un jour, écrit Joseph Wylder, *Francis se tenait dans l'escalier de la cave pour faire quelques réparations. Shep, subitement, se mit à aboyer. Et même si cela semblait quelque peu anormal de la part du chien, Francis estima que ce ne devait guère être important et continua son travail. Tout à coup, il fut déséquilibré et déboula l'escalier. Il fut emmené à l'hôpital et Shep suivit; Shep était dans le corridor lorsque Francis fut transporté hors de la salle d'urgence. Francis lui dit que tout allait bien et il lui demanda de l'attendre, ce qu'il fit. Mais l'état de Francis se détériora et, quelques heures plus tard, il décéda. Son corps fut transporté à l'entrée arrière de l'hôpital alors que Shep attendait toujours là où Francis lui avait dit d'attendre.*

Au moment où le corps de Francis fut sorti de l'hôpital, Shep se mit à aboyer — avec force, d'une façon tragique et qui faisait pitié.

Shep attendit dans le voisinage de l'hôpital pendant 12 ans. Seule sa mort mit fin à son attente. Alors qu'il semblait évident que Shep savait qu'il était arrivé quelque chose de terrible à son maître, le chien choisit de vivre avec un espoir éternel.

Hachi! Ce n'est pas un éternuement, c'est le nom d'un chien japonais qui venait retrouver son propriétaire à la gare, tous les jours à 5 h de l'après-midi. Un jour, c'est la tragédie: le maître ne se montre pas.

Hachi l'attendit puis rentra à la maison. Le lendemain, 5 h, il était là, de nouveau, et attendait, dévisageant les passagers qui descendaient du train. Rien!

Chaque jour, Hachi revint attendre son maître à la gare.

Tokyo l'apprit et bientôt le Japon tout entier se prit d'amitié pour le chien.

Dix ans durant, Hachi rendit une visite ponctuelle à la gare. À sa mort, le gouvernement lui érigea une statue sur les lieux mêmes de sa patiente attente. Des reproductions miniatures de cette statue furent envoyées dans toutes les écoles de l'empire japonais.

Bill Schul a lui aussi une moisson d'anecdotes. Voici celle concernant Flak, le chien mascotte de l'équipage d'un bombardier durant la Seconde Guerre mondiale (histoire racontée par John et June Robbins dans le magazine *This Week* en 1960). L'équipage était en station à Tunis; Flak restait à terre mais paraissait sur le terrain peu avant le retour de mission de ses amis. Un jour, Flak se mit à hurler et rien ne put le consoler. Quand les avions revinrent de la mission, Flak refusa de monter sur le terrain d'aviation. Ses amis d'équipage avaient été abattus au-dessus de l'Italie peu avant midi ce même jour.

Un setter du nom de Marcella eut la vedette du *Magazine Digest* d'avril 1946. Son maître était en voyage d'affaires et la chienne était à la maison avec sa maîtresse. Celle-ci fut réveillée en plein milieu de la nuit par les grognements de Marcella. Allumant la lumière, elle vit la chienne sur le pas de la porte de la chambre, le poil hérissé, grognant. On aurait dit que l'animal voyait quelque chose qui l'effrayait. Puis la chienne se mit à hurler pitoyablement et s'avança vers un placard, gémissant et se faisant toute petite.

Dans la demi-heure suivante, la dame apprit que son mari avait été tué dans un accident de voiture.

Que signifient ces anecdotes?

Quel sens pouvons-nous leur donner?

C'est ce que nous verrons plus loin!

Le chien et la mort du congénère

Comment un chien perçoit-il un congénère décédé?

Il s'approche de lui. Le reconnaît-il? Ce n'est pas sûr du tout. Il le renifle. Cette fois, le reconnaît-il enfin? Non. Cette chose inerte et qui sent mauvais (qui sent le cadavre) ne peut pas être un congénère connu. Il n'émet aucun signe de vie.

Il perçoit la mort des autres parce que l'autre, une fois mort, ne bouge plus, n'émet plus de signaux physiques ni d'odeurs de communication, en somme, n'a plus d'intérêt social, si ce n'est, peut-être, d'intérêt alimentaire.

Le cadavre d'un congénère n'est plus qu'une caricature inerte de ce congénère et n'a pas plus d'intérêt qu'une photographie.

En cas de nécessité, le cadavre d'un congénère peut être consommé[7]. Celui d'un maître aussi. Un corps sans vie (de chien ou d'humain) ne provoque pas d'inhibition alimentaire comme le ferait un corps en vie.

Le chien et le suicide

Les chiens se suicident-ils?

Comme l'écrit Dröscher: «Il n'y a pas un seul animal au monde qui se suicide volontairement.» Sauf peut-être, ajouterons-nous, le dauphin (et les autres cétacés), les singes supérieurs et l'homme.

Le chien qui dépérit parce qu'il ne se nourrit pas après la mort de son maître souffre de dépression réactionnelle (dépression aiguë) mais ne se suicide pas; il ne veut pas mourir.

Si le chien ne se suicide pas, qu'est-ce que cela veut dire?

Peut-on en tirer quelques conclusions sur ses capacités philosophiques? Sur son appréhension de la notion de vie et de mort?

Le chien et la notion de mort

Accepter que le chien ne se suicide pas, c'est aussi lui refuser l'accès à une connaissance philosophique: celle de la notion de la vie, de la mort et de l'après-mort, et d'une volonté propre de déterminer sa vie. Le chien vit parce qu'il bouge, mange, perçoit des sensations et vibre d'émotions. Mais il n'est pas conscient de vivre, car il ne s'imagine pas ce que ce serait que d'être mort. Il ne se pose pas ce genre de question. Il se contente de vivre.

Pour le chien, la mort est une constatation sensorielle, pas une constatation cognitive et philosophique.

Dans les rares cas où le chien «se recueille» sur la tombe de son propriétaire, peut-on affirmer que le chien ait pris conscience de la notion de mort?

Je n'en suis pas sûr.

Le mort est, pour le chien, privé de vie, c'est-à-dire privé de l'animation qui lui donnait des manifestations sensorielles et extrasensorielles, privé des comportements qui le rendaient reconnaissable. Je crois que le chien qui tient compagnie à son maître décédé perçoit et reconnaît encore des manifestations de vie, d'une autre forme de vie, déjà présente pendant la vie physique et persistant après la mort physique. Si l'on accepte cette hypothèse, alors on peut aussi comprendre les prémonitions de mort qu'ont certains chiens.

Mais cette hypothèse exige que la mort ne soit pas une fin en soi et qu'il existe quelque chose après la mort. Je comprends aisément que tout le monde ne puisse pas accepter cette notion, mais c'est la meilleure que j'aie à proposer pour expliquer ces phénomènes.

Le chien et le deuil

Même si le chien n'a pas de notion philosophique de la mort et de l'après-mort, il n'en subit pas moins un deuil à la mort d'un congénère ami ou de son propriétaire. Le deuil chez le chien est une réaction à la perte, à l'absence d'un être cher. Cette perte se manifeste par un manque des stimulations rituelles et une modification des routines et des habitudes journalières. Le chien subit une anxiété de «déritualisation» ou une dépression réactionnelle. Cette dépression est normale, elle est temporaire et est suivie d'une phase constructive d'adaptation aux nouvelles conditions de vie et d'environnement, que l'on pourrait appeler la cicatrisation du deuil.

Chez l'homme, les réactions de deuil sont parfois compliquées d'un sentiment d'hostilité envers la personne disparue (on en veut au cher décédé), ce qui entraîne une sensation de culpabilité (une forme d'auto-punition réactive) et aggrave les dépressions, le détachement patho-logique (de toute activité sociale) et le sentiment de son inutilité (ce qui peut conduire au suicide).

Chez le chien, les sentiments d'hostilité ne se manifestent qu'envers les individus présents (et pas envers les absents, donc pas envers les décédés), il n'y a pas de sentiment de culpabilité et donc aucun risque d'un deuil avec dépression pathologique; et il n'y a pas de tendance sui-cidaire. Les dépressions de détachement existent pourtant, pas à la suite d'un deuil, mais bien à la suite d'un rejet maternel chez un chiot (cela est comparable à ce que ressentent le jeune enfant séparé de sa mère et les autistes).

Les réactions de deuil chez le chien seront d'autant plus importantes que le chien n'est pas habitué à un isolement prolongé. Les facultés d'adaptation d'un chien isolé la journée et placé en pension (chenil) pendant une à plusieurs semaines de vacances sont, dans ce domaine, bien plus grandes que celles d'un chien qui n'est jamais séparé de ses propriétaires.

Anpsi

J. B. Rhine et Sara R. Feather écrivaient ce qui suit en mars 1962: «Des animaux exceptionnels ont figuré dans la documentation parapsychologique de temps à autre, plus souvent dans un statut douteux...» Le premier rapport d'une expérimentation psi[8] contrôlée semble avoir concerné celle de Bechterev qui testa en 1920 deux chiens de cirque. En 1929, J. B. et L. E. Rhine exposèrent leurs expériences de télépathie avec Lady, une pouliche de Richmond. Comme ceux de Bechterev, leurs résultats étaient favorables à une hypothèse de télépathie. Mais aucune des études de PES (ou perception extrasensorielle) de la première moitié du XXe siècle ne représente une analyse sérieuse du problème psi chez l'animal.

L'enquête

«En 1950, cependant, le Duke Laboratory commença une enquête et rassembla le matériel traitant des comportements animaux inexpliqués qui suggéraient la possibilité du psi», continuent Rhine et Feather.

«Ce matériel était réparti en trois catégories:
1. Des études de recherche de direction migratoire chez les oiseaux, les insectes et certains animaux marins;
2. Des expériences de terrain sur des comportements de "retour à la maison" *(homing)* chez des souris, des chats, des pigeons, des chiens et quelques autres espèces;
3. Des cas anecdotiques de comportement étonnant d'animaux domestiques ou domestiqués.

«Cette enquête confirma l'hypothèse que de larges domaines du comportement animal ne pouvaient pas être expliqués adéquatement par des principes connus, et pour lesquels une explication psi pouvait être conçue. Cette situation […] semblait justifier le lancement par le Duke Laboratory d'un programme expérimental dont le foyer d'intérêt serait de déterminer si les animaux ont des capacités psi.»

Dix ans d'expérimentation

Dix années d'expérimentation ont suivi. Le Dr Karlis Osis expérimenta avec des chats, J. B. Rhine avec des chiens, J. G. Pratt et ses collègues avec des pigeons, G. H. Wood et Remi J. Cadoret avec un chien, Chris; et pourtant, une réponse décisive ne pouvait être obtenue: les résultats étaient statistiquement valables, mais il restait une incertitude. Par exemple, la PES était-elle animale ou humaine, l'expérimentateur intervenait-il dans l'expérience? Une nouvelle approche était nécessaire. Un nouvel examen du matériel anecdotique disponible (une collection d'environ 500 cas), envoyé au laboratoire par des lecteurs d'articles populaires, laissait fortement supposer que la PES existait dans d'autres espèces que chez l'homme. Reprenons le texte de Rhine et Feather (tiré de «The study of cases of psi-trailing in animals», *The Journal of parapsychology*, vol. 26, mars 1962).

Catégories

«De cette collection, cinq types généraux de modèles de comportement suggèrent un facteur psi:
1. Des réactions à un danger imminent chez l'animal ou chez son maître;
2. Des réactions à distance à la mort du maître;
3. Des réactions anticipées au retour du maître;
4. Le retour à la maison;
5. Le comportement de pistage psi.»

Le lien psychique qui relie un chien et un humain peut permettre de sauver la vie de l'un ou de l'autre. Joseph Wylder (1979) reprend dans son livre un rapport de Jhan Robbins: une femme, au bureau, se sent envahie d'une vague d'anxiété et sent qu'il arrive quelque chose à son chien. Elle abandonne ses activités et se précipite chez elle pour retrouver son chien pris dans une corde qui l'étouffe progressivement et le menace de mort. Elle défait les liens mortellement serrés et le chien récupère une respiration plus profonde: il est sauvé. Mais il était «moins une». Sans cette intuition, sans cette angoisse subite, sans cette *télépathie de crise,* le chien serait mort.

Combien de gens ne nous ont-ils pas téléphoné juste après la mort de leur animal chéri, hospitalisé pour une affection grave: une sensation étrange et angoissante les avait étreints et poussés à téléphoner pour prendre des nouvelles de leur ami.

Jim

Jim, raconte J. Wylder, est un setter noir et blanc de trois ans appartenant à Sam VanArsdale, de Sedalia, dans le Missouri. Un jour, pour s'amuser, Sam demanda à Jim de poser la patte sur un orme. Jim trotta de-ci de-là, s'approcha d'un orme et posa la patte sur le tronc de l'arbre.

Surpris et intrigué, Sam demanda à Jim d'indiquer un noyer blanc, un chêne, un noyer (cerneau). Comme un natif des bois, Jim n'eut aucune difficulté à réaliser cet exercice.

Cinq années passèrent et la renommée de Jim parvint aux oreilles des chercheurs de l'École d'éducation de l'Université du Missouri qui se présentèrent à Sedalia. Jim répondit à des ordres en différentes langues; en français, on lui demanda d'indiquer la plaque d'une auto particulière; en allemand, il dut identifier une femme habillée en bleu et un homme moustachu accompagné d'un enfant aux longs cheveux blonds. Il ne se trompa jamais.

Comprenait-il les langues étrangères?

Non! Les chercheurs conclurent à des facultés psi!

Encore d'autres catégories...

Des exemples anecdotiques sont nombreux et nous en citons dans des chapitres distincts. Robert Lyle Morris (1973, 1977) a fait plusieurs études des écrits sur le sujet et ajoute plusieurs catégories à celles énoncées plus haut:

6. Des cas anecdotiques de hantise et d'apparitions;
7. Des cas d'animaux intelligents qui peuvent calculer, etc.

Ensuite, des exemples expérimentaux:
8. L'utilisation des animaux comme témoins de cas OBE (Out of Body Experiment ou en français: expérience hors corps ou EHC);
9. Des expériences de clairvoyance;
10. Des expériences de psychokinésie;
11. L'anticipation du retour du propriétaire.

Les expériences d'Esser

Parmi les expériences avec des chiens, citons tout de suite celles du Dr Aristide Esser, neurologue et psychiatre, réalisées au Rockland State Hospital de New York (expériences citées par Joseph Wylder).

Dans l'une de ces expériences, les chercheurs construisirent, dans deux ailes distinctes de l'hôpital, deux chambres insonorisées et couvertes de fils de cuivre: aucun moyen de communication physique n'existait entre les deux pièces. Dans l'une des pièces furent amenés deux beagles, chasseurs expérimentés; dans l'autre fut enfermé leur propriétaire, un chasseur, qui était équipé d'un fusil à air comprimé et qui devait tirer sur des projections de diapositives d'animaux divers. Les «cobayes» de cette expérimentation, tant humain que chiens, furent suivis à travers des panneaux d'observation. Au moment où leur propriétaire tirait un coup de feu sur une image d'animal, les chiens s'excitaient, aboyaient et gémissaient comme ils l'auraient fait pendant une chasse réelle. À quoi réagissaient-ils? Ils n'entendaient rien, ne voyaient rien! Et pourtant, dans cette pièce isolée, insonorisée, ils recevaient un message qui les rendait frénétiques.

Dans une autre expérience, le Dr Esser enferma un boxer dans l'une des pièces et sa maîtresse dans l'autre. Sans prévenir la femme, il envoya un homme la rejoindre: celui-ci lui parla de façon brutale, violente et menaça de la frapper; elle fut prise d'une angoisse réelle. Son chien, au même moment, sans la voir, ni l'entendre, ni la percevoir avec aucun des cinq sens habituels, subit une augmentation significative de son rythme cardiaque enregistrée sur électrocardiogramme.

La troisième expérience mit en scène une maman boxer et un de ses chiots, déjà grand. Tous deux avaient appris à se faire «tout petits» dès que le dresseur tenait un journal roulé dans sa main tendue de façon menaçante. Quand l'expérimentateur menaça le jeune boxer dans l'une des pièces et que ce dernier se «tassa» dans un coin, sa mère, dans l'autre pièce, fit de même, montrant ainsi qu'elle recevait l'information manifestée à son petit.

En conclusion de ses expériences, Aristide Esser dit: «Il n'y a aucun doute dans mon esprit que certains chiens, particulièrement ceux qui sont en relation étroite avec leurs propriétaires, ont une PES hautement développée.»

Une conclusion

«Actuellement, écrivait Maurice Burton (1972), la question n'est plus de savoir s'il existe un sixième sens, mais combien de sens supplémentaires il y a.»

Et les Dierkens (1978) disaient que «la parapsychologie d'aujourd'hui est la psychologie de demain».

Anticipation du retour du propriétaire

Comment se fait-il que de nombreux chiens savent ce que leurs propriétaires vont faire l'instant suivant? Les maîtres disent: «Mon chien comprend tout ce que je lui dis.»

Une cliente nous affirme, et nous la croyons volontiers, que sa chienne sait à quoi elle pense; si la maîtresse pense à un jouet précis, sans faire le moindre geste ni même ouvrir les yeux, la chienne va chercher ce jouet. N'est-ce pas plus que de l'empathie, n'y a-t-il pas là une suspicion de télépathie?

Tout comme chez les chiens qui montrent une excitation un quart d'heure avant le retour du maître, quand celui-ci revient à des heures variables et imprévisibles et quand, manifestement, le chien n'a pu être averti par l'un de ses cinq sens habituels…

Mais ce n'est peut-être pas le cas de Rex (cité par Bill Schul), qui adore être en auto, court vers la voiture et se met à aboyer quand ses propriétaires songent à la prendre, mais avant même qu'ils aient fait le moindre geste dans sa direction. Et pourtant Rex ignore la voiture quand il sait qu'il ne sera pas du voyage, les jours de travail par exemple.

Le chien détermine les intentions à des indices qui pour nous ne sont pas apparents: un infime mouvement, une tension musculaire, une dilatation des pupilles suffit à l'avertir, surtout s'il guette ce signe significatif d'une situation espérée.

L'anticipation est un processus d'apprentissage qui permet de prévoir les événements futurs, du moins du futur proche. Elle permet l'économie de réactions émotionnelles violentes. De nombreuses expériences de laboratoire ont démontré qu'un événement stressant prévisible abîmait moins l'organisme que le même événement stressant imprévisible. Les mécanismes neurologiques ont été décrits, ainsi que la chimie du cerveau qui sous-tend ces processus.

L'anticipation peut aussi être pathologique, c'est-à-dire se rapporter à des processus ou à des états pathologiques: c'est le cas des phobies. Quand un chien a peur du tonnerre, la réaction comportementale apparaît au moment même de la détonation. Après quelques répétitions, le chien a compris que l'éclair précède la détonation et il a des comportements de fuite ou d'aboiement au moment de l'éclair. Puis c'est l'assombrissement du ciel qui est annonciateur de l'orage, et le chien se réfugie alors dans un lieu rassurant dès que le ciel se couvre. Plus tard encore, c'est la lourdeur de l'atmosphère, la chute de la pression atmosphérique, l'ionisation positive de l'air qui sont les indices, et le chien a des comportements révélateurs, des heures avant l'orage.

Les phénomènes d'anticipation les plus évidents chez le chien souffrant d'hyperattachement sont liés au départ du maître. Les réactions de détresse qui apparaissaient au moment où celui-ci s'en allait vont bientôt se déclencher plus tôt: quand le propriétaire s'approche de la porte, quand il met ses vêtements de travail, ou même quand il se lève le matin. Vous trouverez de nombreux renseignements sur le comportement du chien dans mes autres ouvrages.

Ce qui nous intéresse particulièrement ici n'est pas cette forme d'anticipation sur des indices perçus par tous, mais bien ces cas extraordinaires d'anticipation dans lesquels personne ne peut dire actuellement sur quels indices le chien se base pour réagir.

Je prends un exemple personnel. Tenez, mon entraîneur d'athlétisme (il y a de cela plus de 20 ans) avait un chien berger qu'il n'avait pu garder et qu'il avait donné à son frère qui habitait loin de chez lui, à plusieurs heures de voyage par les transports en commun. Et pourtant, lorsqu'il allait chez son frère, sans prévenir, chaque fois à l'improviste, il y avait toujours une assiette prête pour lui sur la table. Pourquoi?

Le chien berger se mettait dans un état d'excitation particulier dès que mon entraîneur décidait de rendre visite à son frère, et cette nervosité se maintenait pendant plusieurs heures, au point que le frère de l'entraîneur savait qu'il aurait de la visite. Et le chien retrouvait son ancien maître avec un plaisir tout particulier et une affection totale.

Harriet Andriessen se rappelle le chien de son enfance, Donia, bouvier bernois femelle, née en 1968. Très rapidement, Donia a montré des facultés d'anticipation très claires. Donia était toujours prête à aller se promener avant même de voir un des membres de la famille mettre un manteau et prendre la laisse, mais seulement dans le cas où on envisageait de l'emmener. Si on mettait un manteau sans avoir l'intention de la sortir, elle ne bougeait pas.

Par contre, s'il s'agissait d'aller chez le vétérinaire, elle se cachait dans un coin reculé, et il fallait la porter dans la voiture. Or, elle adorait la voiture et sautait dedans à la moindre occasion. Ce n'est qu'à son dernier jour, quand on décida de soulager ses terribles souffrances causées par une arthrose évolutive, qu'elle se dirigea l'air serein et calme vers la voiture pour aller chez le vétérinaire.

Dans les deux maisons où la famille a vécu, elle savait quand le père rentrait. Elle s'agitait 5 à 10 minutes avant qu'il ne rentre. Or, le père et les trois voisins avaient exactement la même voiture de marque Mercedes 200 et Donia ne bougeait que quand le père rentrait, et ce à des heures très variables, de jour comme de nuit, parfois même lorsqu'il revenait de voyages lointains. De jour, elle aboyait de plaisir, mais de nuit, elle restait silencieuse, tout en s'agitant de joie. Dans la seconde habitation, elle se mettait sur un palier dans l'escalier et tout le monde savait et disait: «Dans 10 minutes, papa sera là.» Et cela ne se limitait pas aux Pays-Bas; à l'étranger, lorsque la famille était en vacances, les parents partaient quelques heures, elle anticipait leur retour bien avant de les entendre ou de les voir.

Si les parents étaient partis seuls en vacances, Donia était énervée toute la journée avant leur retour. Peut-être voyait-elle les enfants s'activer pour rendre la maison présentable? Mais dans la demi-heure avant leur arrivée, Donia devenait littéralement frénétique.

Une des premières expériences scientifiques sur le sujet date du début du siècle. Elle fut publiée dans le livre *How Animals Talk* de William Long en 1919 et reproduite dans celui de Rupert Sheldrake:

Vigile, le bien nommé, avait pour habitude de venir au-devant de son maître. Son propriétaire, entrepreneur et charpentier très occupé, se rendait à son bureau en ville, rentrait chez lui à des heures irrégulières, parfois tôt dans l'après-midi, d'autres jours tard le soir. Quelle que fût l'heure de son retour, Vigile semblait savoir qu'il était en chemin aussi bien que s'il l'avait suivi des yeux; il devenait inquiet, aboyait pour qu'on le laissât sortir s'il se trouvait dans la maison, et partait en trottant à la rencontre de son maître qu'il rejoignait à mi-parcours. Son «don» étrange était connu de tout le voisinage, et il arrivait que quelque sceptique imaginât une expérience: il était convenu que le maître relèverait l'heure à laquelle il quittait son bureau et qu'une ou plusieurs personnes observeraient le chien. C'est ainsi que mon ami le scientifique fit l'expérience avec Vigile à plusieurs reprises et constata que celui-ci se mettait en route quelques instants après que son maître fut parti de son bureau ou de son chantier dans le centre-ville, à quelque cinq ou six kilomètres de là.

Rupert Sheldrake écrivit en 1992 un article sur ce sujet dans le Bulletin de l'Institut des sciences noétiques, et reçut plus d'une centaine de lettres. Il cite quelques anecdotes aux pages 28 à 30 de son livre et je ne résiste pas à l'envie de vous en raconter quelques-unes. Voici ce qu'écrivait Mme Louise Gavit de Morrow en Géorgie:

...quand je quitte l'endroit où je me trouve, notre chien BJ sort de son sommeil, se dirige vers la porte, s'allonge à côté, le nez tendu vers elle, puis attend. Il s'anime au fur et à mesure que je me rapproche, commence à aller et venir et montre de plus en plus d'excitation. Quand j'ouvre la porte, il se trouve immanquablement là pour m'accueillir en poussant son nez dans

l'entrebâillement. Sa capacité de détection ne semble pas limitée par la distance. Apparemment, il n'est pas sensible au fait que je me déplace d'un lieu à un autre, mais manifeste une réaction dès que je forme la pensée de rentrer à la maison et me dirige vers ma voiture pour prendre le chemin du retour.

Je ne rentre pas chez moi en utilisant toujours le même mode de locomotion: je me sers de ma voiture, de celle de mon mari, d'une camionnette, me fais raccompagner par des gens que BJ ne connaît pas, ou encore rentre à pied. Et cependant BJ réagit à ma pensée et à mes déplacements toujours de la même façon. Même quand il a vu que ma voiture est restée au garage, situé dans le sous-sol de la maison, son comportement est le même.

Voici ce qu'écrivait Mme Jan Woody, de Dallas:

Notre chienne Cayce savait toujours quand mon mari ou moi nous mettions en route pour revenir chez nous. Quoi qu'elle fît, elle s'arrêtait: qu'elle fût dans la cour (elle demandait alors à rentrer) ou dans la maison, elle allait s'asseoir devant la porte d'entrée au moment précis où mon mari ou moi-même nous apprêtions à prendre le chemin du retour. Parfois, mon époux téléphonait pour dire qu'il quittait le tribunal et pour savoir si Cayce était à son poste près de la porte. En d'autres occasions, nous demandions à l'autre de vérifier si la chienne prenait sa faction à l'heure à laquelle nous devions nous mettre en route[...] Je vois mal comment elle aurait pu entendre notre voiture démarrer quand nous nous trouvions dans une ville voisine, ni quels signaux elle aurait pu détecter, puisque ni mon mari ni moi ne savions à quelle heure devait rentrer l'autre avant qu'il n'eût téléphoné. Il arrivait que mes activités me retiennent une demi-heure de plus que prévu. Quant à mon mari, ses audiences duraient parfois la journée entière, parfois une heure seulement.

Et voici la narration de Sheldrake au sujet de Orion:

Mme Vida Bayliss vit sur seize hectares de bois dans un coin sauvage de l'Oregon, à cinq kilomètres de la grande route la plus proche. Son chien

Orion, un mâle de sept ans, un croisement de boxer et de doberman, a l'habitude de battre le pays. Pourtant, quand Mme Bayliss rentre chez elle, bien que ses horaires soient tout à fait irréguliers, elle le retrouve presque toujours là à l'attendre[...] Orion était même capable de distinguer, avant qu'ils ne soient arrivés, les membres de la famille des étrangers; il aboyait à l'approche des seconds et restait silencieux avec les premiers.

Rupert Sheldrake propose une expérience facile à réaliser et peu coûteuse.

«Si un chien réagit longtemps avant l'arrivée de son maître, l'éventualité qu'il puisse la prévoir par habitude ou grâce à des stimuli sensoriels peut être écartée si la personne en question rentre chez elle par des moyens ou à une heure inhabituels.

«Par ailleurs, pour éliminer la possibilité que l'animal "flaire" ce retour dans l'attitude attentiste de quelqu'un d'autre resté à la maison, celui-ci doit ignorer le moment où l'absent est censé arriver.»

Si vous désirez réaliser cette expérience, il vous faut:
- Un chien prédisposé et susceptible d'anticiper votre retour.
- Un moyen d'enregistrer le comportement du chien — si cela se fait par l'intermédiaire d'une personne, celle-ci ne doit pas connaître l'heure de votre retour — si cela se fait par l'intermédiaire d'une caméra vidéo, elle doit indiquer le temps (à la seconde près, si possible).
- Noter le moment où vous désirez rentrer chez vous et le moment où vous vous mettez en route — si possible avoir un témoin objectif.
- Varier les moyens de transport.
- Varier les heures de retour de façon aléatoire.
- Répéter l'expérience plusieurs dizaines de fois.

De cette façon, les résultats pourraient être exploités statistiquement. Il est exclu que le chien obtienne 100 p. 100 de résultats positifs. En biologie, rien n'atteint 100 p. 100. Si c'était le cas, il y aurait une erreur de méthode. Mais il ne serait pas étonnant que le chien obtienne 80 p. 100 ou plus de résultats positifs.

C'est une expérience simple et peu onéreuse. N'hésitez pas, mettez-vous au travail. Peut-être votre chien est-il un surdoué de l'anticipation en dehors des sens connus?

Chiens parleurs

Les expériences de Wood et de Cadoret, détaillées dans un autre chapitre, sont réellement concluantes en ce qui concerne la présence d'une PES (perception extrasensorielle). Mais avant elles, de nombreuses anecdotes avaient fleuri dans les textes à une époque où il était à la mode, dans certains milieux, de faire s'exprimer les chiens par des codes: aboiements ou frappements de patte.

L'idée qui sous-tend cette pratique est en fait excellente. L'histoire a démontré que la méthode gestuelle était la plus efficace pour que les animaux arrivent à utiliser un langage humain. L'exemple moderne le plus frappant est l'apprentissage de l'ameslan (American Sign Language — langage de signes américain pour sourds-muets) chez le chimpanzé avec des résultats étonnants et une pratique de l'ameslan entre chimpanzés adultes et entre parents et enfants avec transmission culturelle éducative de cette symbolique à la nouvelle génération.

Les chevaux d'Elberfeld

Les chiens parleurs ou gesticulateurs ont eu leur heure de gloire au début de ce siècle, après le succès énorme des chevaux d'Elberfeld[9]. M. Van Osten, éleveur de chevaux, avait cru reconnaître chez son cheval Hans des traits d'une intelligence supérieure. Il apprit à son cheval à donner en tapant du sabot le résultat de certains calculs. L'affaire ayant fait grand bruit dans la presse, une commission d'enquête décida d'approfondir les choses. Un professeur de psychologie de Berlin (M. Strumpf) et un professeur de physiologie (M. Nagel) dirigèrent cette commission composée également d'un directeur de zoo, d'un directeur de cirque et de vétérinaires. Le rapport conclut à l'inexistence d'un «truc» puisque les expériences réussissaient en l'absence du propriétaire. Une seconde commission d'étude conclut que le cheval ne donnait les réponses que si celles-ci étaient connues par un membre de l'assemblée. M. Oskar Pfungst, élève du Laboratoire de psychologie de Berlin, publia un livre dans lequel il concluait que l'expérimentateur donnait au cheval un signe quasiment imperceptible et inconscient de la tête ou des yeux.

Hans fut acheté par M. Krall, négociant d'Elberfeld; celui-ci acquit deux chevaux arabes, nommés Muhamed et Zarif, et les éduqua de la même manière. Muhamed apprit à taper du sabot, aussi bien lorsque les questions étaient posées en allemand qu'en français. Enfin, il apprit la lecture. Krall observa les chevaux taper du pied entre eux. Des professeurs de Francfort, de Stuttgart, de Bâle, de l'institut Pasteur de Paris, de Gênes, de Genève et d'autres villes encore sont tous venus étudier ces chevaux extraordinaires.

Il n'est dès lors pas étonnant que les chiens fussent mis à contribution à l'aide de techniques semblables.

Rolf de Mannheim

Le chien le plus connu fut sans doute Rolf, un airedale perdu ou abandonné, recueilli par le Dr Moekel, épouse d'un avocat de Mannheim. L'histoire raconte que Frieda Moekel, ayant des difficultés à résoudre un problème de calcul élémentaire, fut quelque peu bousculée par sa mère qui demanda à Rolf, couché sous la table, s'il savait ce que faisaient 2 + 2. Rolf frappa quatre coups de patte sur le bras de sa maîtresse. Intriguée, la fille aînée demanda 5 + 5. Rolf donna 10 coups de patte. Rolf apprit à compter et à frapper (par code chiffré) les lettres de l'alphabet.

Le Dr William Mackenzie, de Gênes, étudia le cas Rolf de Mannheim et confirma les aptitudes de calcul et de vocabulaire du chien. Parfois même, le chien répondait avant que la question ne soit formulée par l'expérimentateur. Le Dr Mackenzie voulut tester Rolf pour la PES mais Mme Moekel s'y opposa. On raconte que Rolf fit une réponse imprévue à Mackenzie qui lui demandait ce qu'était l'automne; Rolf répondit: «Le temps des pommes.»

Poétique, non?

Le Dr Neumann observa aussi Rolf et se rendit compte que le chien était incapable de donner une réponse correcte lorsque Mme Moekel et ses filles ne connaissaient pas la réponse. À quatre reprises, personne ne connaissait la réponse et pourtant le chien répondit correctement.

Rolf était-il un chien extraordinaire? Ou bien Mme Moekel était-elle une personne hors du commun? Elle avait un autre chien, Jela, et un chat, Daisy, qui tous deux résolvaient des problèmes. Elle adorait les animaux et Mackenzie raconte que, dans sa jeunesse, elle demandait aux chevaux de ne pas s'enfuir et ils lui obéissaient, elle apprenait à calculer à des chiens à moitié sauvages, etc. Quoi qu'il en soit, après la mort de Mme Moekel, Rolf ne parvint plus à répondre aussi bien qu'auparavant.

Lola, Lise et Seppl

Lola, fille de Rolf de Mannheim, airedale, devint la compagne de Mme Kindermann qui lui apprit à frapper de longues phrases compliquées. Pour les calculs, Lola frappait la dizaine de la patte gauche et les unités de la droite. Elle prévoyait le temps, donnait le jour et l'heure sans se tromper (alors même que les horloges de la maison étaient erronées), «parlait» spontanément et prévut même le nombre de chiots dont elle accoucha quelques jours plus tard.

Lola se fatiguait facilement des exercices répétés et donnait alors des réponses sans aucune valeur ou signification. Pour le Dr Mackenzie, c'était une indication supplémentaire de l'intelligence de l'animal qui ne répondait pas seulement à des signes de son environnement; Mackenzie était convaincu qu'une relation télépathique et médiumnique existait avec la propriétaire.

Que Mackenzie en soit convaincu est une chose, que la PES soit prouvée en est une autre.

Lise, fille de Rolf, et Awa, fille de Lola, «héritèrent» des qualités de leurs parents. Awa, baptisée par sa mère, appartenait au professeur de zoologie de l'Université de Stuttgart, Ziegler. Awa fut testée et devait taper la somme de chiffres qui lui étaient présentés sur des cartons, à l'insu de son propriétaire. Elle connaissait les couleurs et le nom de représentations graphiques de plusieurs objets, des fleurs par exemple.

Seppl, un dogue allemand dont l'histoire est racontée par J. L. Victor, a appris à taper par des codes des chiffres et des lettres. Ce qui est intéressant dans son histoire, c'est l'à-propos de certaines de ses réponses. En voici quelques exemples. La propriétaire et éducatrice de Seppl, lui donnant une prune, lui demanda ce que produisait le jardin, en espérant bien entendu qu'il réponde le mot prune; Seppl répondit «des mauvaises herbes» (sa maîtresse s'était en fait plainte auparavant que le jardin était envahi de mauvaises herbes). Elle lui demanda un jour si quelqu'un était venu pendant son absence; et Seppl répondit «Konrad» (un ami de sa maîtresse) et ajouta, sans qu'on ne lui ait rien demandé: «A mangé une poire.»

Après un spectacle où il avait tapé de la patte, reçu du sucre et été fort applaudi, Seppl raconta ce qui suit: «Seppl tapé volontiers, gagné du sucre, gens frétillé des bras.»

Dans le cas de Seppl, il semble bien que l'indépendance de ses réponses soit un gage de l'absence de contrôle inconscient du frappement de patte par sa propriétaire.

Un problème de sémantique

Seppl nous pose un sérieux problème.

D'après Cyrulnik dans *La naissance du sens,* nous nous devons «d'être plus réservés sur la sémantique animale: le signifié est modeste dans les mondes non humains. Aucun être vivant non-homme ne peut transmettre une information en référence à un événement totalement absent. Ce qui stimule la communication doit être proche dans le temps et l'espace[...] Le langage et la pensée des animaux s'enracinent dans le contexte.»

Si l'histoire de Seppl est réelle, alors les chiens ont accès à une sémantique jusque-là réservée aux humains, ils peuvent parler des événements passés. Seppl parle de la visite de Konrad, venu pendant l'absence de sa propriétaire, et rapporte que Konrad a mangé une poire, ce qui a été un fait significatif pour le chien et donc digne d'être raconté.

Et d'autres chiens encore

Senta, autre chienne allemande prodige, restera sans doute dans l'histoire comme la première à avoir dit «il faut m'aimer»... alors qu'elle venait de déchirer un rideau. Cette chienne, non seulement répondait aux questions et aux calculs, mais elle les posait aussi et demanda un jour à son interlocuteur «25 x 35»; celui-ci répondit «775», ce à quoi la chienne rétorqua par «825», pour corriger l'erreur humaine.

Buzi, chienne airedale appartenant à Mme Weisemann de Fribourg, a répondu un jour à sa maîtresse, qui lui demandait ce qu'elle pensait de la visite qu'ils venaient d'avoir: «L'œil ne s'ouvre pas»; en effet, la visiteuse avait un œil de verre.

Zou, croisé épagneul appartenant à Mme Borderieux, fut étudié par Theodore Besterman; celui-ci conclut que le chien décelait de subtils mouvements dans le bras de sa maîtresse sur lequel il frappait le nombre symbole de chiffres et de lettres. Par exemple, on retrouve ces quelques lignes dans les notes de la propriétaire: *Ce fut le 23 avril que je m'aperçus que l'animal lisait dans ma pensée. Ce dimanche, mon mari assista à la leçon. Je demandai à Zou une addition. Je me trompai dans le total. Zou se trompa de même!... J'eus une immense désillusion, en même temps que je demeurais stupéfaite: le cerveau de ce petit animal était-il en si parfaite harmonie avec le mien qu'il pût traduire ce que je pensais?*

Capi, un chien sans race précise, rejoignit Zou et apprit lui aussi quelques rudiments de calcul et de vocabulaire.

Darkey, un terrier aveugle, semblait capable (écrivait Frostick) de répondre intelligemment par des aboiements et des coups de patte et parfois très rapidement, la question étant en fait à peine sortie de la bouche des interrogateurs. Étant donné son handicap, Darkey ne pouvait évidemment pas voir les signes inconsciemment envoyés par les expérimentateurs, mais pouvait-il les entendre ou les sentir?

Fellow, berger allemand appartenant à M. Herber, passa des tests devant le professeur Wardel, de l'Université de Columbia. Il connaissait 400 mots d'anglais, faisait sans difficulté la différence entre des mots très semblables tels *collar* (collier) et *dollar* et, quand on le lui demandait, allait chercher l'un ou l'autre dans une pièce voisine (le collier et le dollar étaient déposés sur deux chaises côte à côte).

Les chiens de Weimar ont fait autant de «foin» que les chevaux d'Elberfeld. Lumpi, fox-terrier des demoiselles Suzanne Hensolt et Gerda Wolfson, fut examiné par les professeurs Plate et Sewertzoff. Ces derniers conclurent que Lumpi comprenait partiellement le langage verbal, qu'il pouvait dans une faible mesure lire des phrases en allemand, qu'il était capable de faire des additions, des soustractions, des multiplications et des divisions simples et qu'il était capable de répondre par des codes frappés (sur une planche ou un livre); aucun des scientifiques présents n'a pu déceler de signes influençant l'animal. Ajoutons à cela que Lumpi savait lire l'heure sur une montre-bracelet, qu'il traitait les autres chiens de «collègues» et qu'il les reconnaissait sur des photographies.

Diane, chienne bâtarde élevée et éduquée par le colonel Dassonville dans les années trente, se comptait parmi les personnes et non pas parmi les chiens; s'il y avait cinq personnes et un autre chien, à part elle, dans la pièce, elle comptait six personnes et un chien. On raconte d'elle qu'elle avait été accueillie toute jeune, sans qu'on en sache l'âge à son acquisition. Si elle avait été adoptée vers cinq ou six semaines et si elle avait alors vécu dans un milieu d'humains sans avoir eu de contacts avec des chiens, il est alors normal qu'elle eût des problèmes d'identité[10].

Diane connaissait l'heure à la minute près, sans avoir accès à une horloge quelconque. Elle pouvait dire l'âge des gens, sans erreur, deviner le nombre de chiens dans une propriété, etc.

La parole ou le signe

Les exemples pourraient être multipliés, le nombre de chiens frappeurs-parleurs étant considérable. Mais une remarque intéressante peut être ajoutée. La référence qui suit est-elle de la main de Mme Borderieux? C'est difficile à dire, car ces quelques lignes sont extraites de J. L. Victor, qui malheureusement reste très imprécis sur ses sources bibliographiques. La narratrice parle de Zou et notamment de *...l'attention que Zou apportait au début de son apprentissage, et apporte encore, quand il s'agit d'une chose nouvelle. Il se demande si c'est intéressant pour lui, si cela va lui rapporter quelque chose; et peu à peu, devant la répétition des chiffres et des lettres, il est désenchanté; il trouve que c'est beaucoup plus simple de se faire comprendre par signes. Les signes sont, je crois, le vrai langage des chiens. Si l'on employait avec eux le langage des sourds-muets, on arriverait peut-être à des progrès très rapides de compréhension. Cette réflexion m'est suggérée par une remarque que j'ai faite les premiers mois que j'avais Capi. Je disais souvent: "C'est curieux, ce chien comprend mieux les signes que la parole."*

Plus tard, j'appris que le premier maître de Capi était un sourd-muet[...]

Zou, lui aussi, préfère se coller le museau contre une porte (s'il ne peut l'ouvrir) que de frapper une phrase compliquée.

C'est là, je crois, où se trouve une part de vérité. Les chiens parleurs sont des animaux extrêmement bien dressés, exécutant des signes codés, répondant suivant des conditionnements précis, ou suivant une volonté propre (qu'on ne peut pas leur nier), ou percevant l'intention ou la pensée de leur dresseur, soit par des signes inconscients, soit par réelle perception extrasensorielle. Mais à ce sujet, aucune preuve n'a été émise pour l'ensemble des chiens parleurs. Par contre, les expériences de Wood et de Cadoret sont d'une tout autre qualité et envergure.

Que les chiens parleurs témoignent ou non de PES, la réalité est qu'ils sont de toute façon extraordinaires.

Chiens bavards

Si Judy, le chimpanzé vedette de la série intitulée *Daktari,* connaissait 125 commandes verbales, qu'en est-il des chiens?

Le chien de M. Tout-le-Monde connaît, semble-t-il, une bonne cinquantaine de mots. Certains chiens, tels les chiens guides pour aveugles, comprennent plus d'une centaine d'ordres.

Bill Schul raconte que l'on étudia Fellow, un berger allemand, à l'Université Columbia de New York et que l'on démontra qu'il comprenait 400 mots.

Selon le même auteur, qui a fait des recherches bibliographiques intéressantes, il semble que certains singes poussent des grognements comparables à des vocalises utilisées par des Boshimans ou identiques à des racines de mots utilisées dans la Chine ancienne.

Le problème avec cette proposition, c'est que je cite Bill Schul, qui cite le livre *Animal I.Q.* de Vance Packard, qui cite Schwidetsky qui, lui, croyait que c'était ainsi. Alors qu'en est-il réellement? Il faudrait le demander à un spécialiste des anthropoïdes.

On a bien entendu tenté de faire parler des singes, des dauphins, etc., et l'on n'est arrivé à aucun résultat en dehors de la prononciation de quelques mots; sauf bien sûr chez les oiseaux.

Blitz, le chien de berger

Alors quel a été l'étonnement de M. Devlin, en 1942, quand il demanda à son chien berger nommé Blitz: «*Do you want to go out?*» («Veux-tu sortir?») et que le chien grogna-aboya quelque chose qui ressemblait à «*want out*» («veux sortir»)?

Un jour, dans une taverne de Bay Ridge, Devlin donna une pièce de monnaie à Blitz qui la posa sur le comptoir et dit: «*Want hamburger*» («Je veux un hamburger»). Le barman en resta médusé et laissa tomber un verre de bière.

Blitz fut interviewé par Paul Phelan, journaliste au *Sun*, qui resta bouche bée devant le chien qui lui disait: «*Good morning, I want my mommie*» («Bonjour, je veux ma maman»).

Mr. Lucky, le boston terrier

Mr. Lucky est un autre chien bavard. Ses baragouinages furent enregistrés par le Dr William Perkins de la Clinique du langage de l'Université de Californie du Sud; la voix de Mr. Lucky était aiguë, mais compréhensible, un peu comme celle d'une poupée parlante. Ses aboiements, par contre, étaient graves.

Sa propriétaire raconte qu'un jour, ennuyé de devoir rester chez un voisin avec sa maîtresse, il déclara: «*Aw, come on home*» («Ah, allons à la maison»).

Brad Steiger nous donne d'autres séquences de mots que le loquace Mr. Lucky chantait dans les circonstances appropriées: «I want some» (J'en veux aussi) quand il voyait quelqu'un manger ou boire quelque chose qu'il aimait. Et il disait: «Oh dear, oh dear» quand il était enfermé dans la cave.

Il me semble que ces chiens bavards parlent plus facilement anglais que dans une autre langue, sans doute parce que l'anglais est plus proche de... l'aboiement canin. C'est pourquoi je vous ai donné le texte original prononcé par ces chiens et, ensuite, la traduction française. De cette façon, vous vous rendrez compte de l'à-propos de ma pensée.

Pepe, le chihuahua

Bill Schul a encore une autre anecdote pour nous. Pepe est un autre chien bavard, un chihuahua, cette fois.

Appartenant à Jerry Genovas, de Torrance, en Californie, Pepe se produisit à plusieurs reprises à la télévision. Clare Adele Lambert décrivit ce langage dans le magazine *Fate* de juillet 1966: «Un petit son chantant commence dans la gorge de Pepe et ses muscles se mettent à bouger. Ensuite il lève bien haut la tête, ouvre grand la gueule et chante les mots dans une voix forte pour un si petit animal. [...] Il chante plus qu'il ne parle; c'est vraiment une combinaison des deux; pour chaque phrase, il monte et descend de trois tons ou davantage.»

Et que raconte-t-il? Il paraît que ce sont des syllabes qui semblent articuler des mots et de courtes phrases dans le genre: «*I love you*» («Je vous aime»).

Mais tout le monde n'est pas d'accord avec cette interprétation des sons de Pepe. Raymond Bayless rencontra le petit chihuahua prodige en 1966 et reconnut que le chien émettait des sons modulés d'une incroyable intensité, mais il ne put distinguer aucun mot reconnaissable. À certains moments, les sons produits correspondaient au nombre de syllabes des phrases que l'on voulait l'entendre répéter. Pour Bayless, c'était... pathétique.

Il est certain que l'imaginaire de l'auditeur humain jouera un rôle fondamental dans l'interprétation et la reconnaissance de ces sons comme étant des syllabes, des mots et des phrases.

Télépathie chien-homme

Comment qualifier les expériences suivantes? «Hallucinations télé-pathiques dans lesquelles un animal fait fonction d'agent», comme l'écrivait Bozzano en août 1905? Télépathie chien-homme, comme nous intitulons ce chapitre? Nous allons voir des histoires mystérieuses qui sont réellement arrivées à des propriétaires de chiens. Tenez-vous bien! Un jour ou l'autre, cela pourrait aussi vous arriver.

Meg

L'anecdote qui suit décrit une expérience collective dans laquelle on peut penser que l'animal est *agent* (ou *émetteur)* et l'homme *récepteur*. Elle est tirée d'une lettre de Mme Beauchamps, de Hunt Lodge, à Twyford, adressée à Mme Wood de Colchester, et a été publiée dans le *Journal of the Society for Psychical Research* en juillet 1890.

Voici une sorte de rêve prémonitoire! La nuit dernière, Megatherium, notre petit chien indien, dormait avec ma fille; je m'éveillai, l'entendant courir dans la chambre à coucher. Je connais si bien le bruit de ses pas. Mon mari se réveilla lui aussi. «Écoute, lui dis-je, c'est Meg.» Nous allumons une chandelle, regardons bien partout: il n'y avait rien à voir et la porte était fer-mée. Ensuite j'eus le pressentiment que quelque chose n'allait pas avec le chien — qu'il venait de mourir à cette minute — et je cherchai ma montre pour voir l'heure. Je pensai me lever pour aller voir ce qui se passait, mais il faisait si froid et cela semblait si bête que je me rendormis. Quelque temps après, ma fille frappa à la porte. «Oh, maman, Meg est en train de mourir!»

Nous nous précipitâmes à l'étage. Le chien était couché sur le côté, comme mort, les pattes raides. Mon mari le prit dans ses bras et, pour un moment, ne comprit pas ce qui n'allait pas, car Meg n'était pas mort. Puis nous nous sommes rendu compte qu'il s'était presque étranglé avec la ceinture du manteau de mon mari. Il récupéra rapidement lorsque nous la lui enlevâmes; il respira mieux immédiatement.

À l'avenir, si j'ai un tel pressentiment, j'irai toujours voir ce qui se passe. Je peux jurer que j'ai entendu, et mon mari également, distinctement son pas dans la pièce.

Les scientifiques de la société de recherche psychique questionnèrent Mme Beauchamps et elle répondit: *Il n'y avait pas d'autre chien dans la maison cette nuit-là et je n'aurais pas pu entendre le chien de la chambre où il se trouvait, à un autre étage, à l'autre extrémité de notre grande maison, avec toutes les portes fermées...*

Le cas Rider Haggard

Le cas le plus connu, sans doute, qui a été maintes fois publié et dont on a parlé dans les médias, est cette aventure qui est arrivée au romancier Rider Haggard. Voici ce que Bozzano en disait au début d'un de ses volumineux articles:

Le fameux cas de télépathie qui est survenu à l'écrivain anglais bien connu, M. Rider Haggard (et qui a été rigoureusement étudié et documenté par Haggard lui-même et par la Society for Psychical Research anglo-américaine, établie à Londres), attira sérieusement l'attention des personnes qui s'intéressent aux recherches psychiques sur la possibilité des phénomènes de transmission télépathique entre les hommes et les animaux.

En somme, c'était l'anecdote révélatrice d'un état de pensée et de recherches scientifiques effectuées dans un domaine peu connu. C'est donc un moment *historique* et je ne pouvais pas négliger d'en parler.

Voici ce cas!

M. Rider Haggard raconte qu'il était couché tranquillement, vers 1 h de la nuit du 10 juillet. Une heure plus tard, Mme Haggard, qui était couchée auprès de lui, entendit son mari gémir et émettre des sons inarticulés, tels ceux d'une bête blessée. Inquiète, elle l'appela. M. Haggard entendit la voix comme dans un rêve, mais ne parvint pas à se débarrasser tout de suite du cauchemar qui l'oppressait. Quand il se réveilla complètement, il raconta à sa femme qu'il avait rêvé de Bob, le vieux chien braque de leur fille aînée, et qu'il l'avait vu se débattre dans une lutte terrible, comme s'il allait mourir.

Le rêve avait eu deux parties distinctes. Au sujet de la première, le romancier se souvient seulement d'avoir éprouvé une sensation d'oppression, comme s'il avait été sur le point de se noyer. Entre l'instant où il entendit la voix de sa femme et celui où il reprit pleine connaissance, le rêve prit une forme plus précise. «Je voyais, dit Haggard, le bon vieux Bob étendu entre les roseaux d'un étang. Il me semblait que ma personnalité même sortait mystérieusement du corps du chien, qui soulevait sa tête contre mon visage d'une manière bizarre. Bob s'efforçait de me parler et, ne parvenant pas à se faire comprendre par la voix, me transmettait d'une autre façon indéfinissable l'idée qu'il était en train de mourir.»

M. et Mme Haggard se rendormirent, et le romancier ne fut plus troublé dans son sommeil. Le matin, au déjeuner, il raconta à ses filles ce qu'il avait rêvé et rit avec elles de la peur que leur mère avait éprouvée: il attribuait le cauchemar à une mauvaise digestion. Quant à Bob, personne ne s'en préoccupa puisque, le soir précédent, il avait été vu avec les autres chiens de la villa et avait fait sa cour à sa maîtresse comme d'habitude. Seulement, lorsque l'heure du repas quotidien fut passée sans que Bob se fît voir, Mlle Haggard commença à éprouver quelque inquiétude, et le romancier à soupçonner qu'il s'agissait d'un rêve prémonitoire. On commença des recherches actives qui durèrent quatre jours, au cours desquelles M. Haggard lui-même trouva le pauvre chien flottant sur l'eau d'un étang, à 2 km de la villa, le crâne fracassé et deux pattes brisées.

Un premier examen, fait par le vétérinaire, fit supposer que la malheureuse bête avait été prise à un piège; mais on trouva ensuite des preuves indiscutables que le chien avait été écrasé par un train, sur un pont qui traversait l'étang, et qu'il avait été propulsé sous l'impact parmi les plantes aquatiques.

Le matin du 19 juillet, un cantonnier du chemin de fer avait trouvé sur le pont le collier ensanglanté de Bob; il ne restait donc aucun doute que le chien était bien mort dans la nuit du rêve. Par hasard, cette nuit-là, était passé, un peu avant minuit, un train supplémentaire [...] qui avait dû être la cause de l'accident.

Toutes ces circonstances sont prouvées par le romancier au moyen d'une série de documents testimoniaux.

Selon le vétérinaire, la mort a dû être presque instantanée; elle aurait donc précédé de deux heures, ou davantage, le rêve de M. Haggard.

Tel est, en abrégé, ce qui arriva à l'écrivain anglais. Dans ce cas, on trouve plusieurs circonstances de faits qui concourent à exclure d'une façon catégorique toute autre explication que celle de la transmission télépathique entre l'animal et l'homme.

Le cas Young

Le cas suivant de télépathie possible entre un chien et un humain a été rapporté par M. J. F. Young, de New Road, Llanelly, South Wales, le 13 novembre 1904 au *Journal of Society for Psychical Research* qui en a publié le compte rendu le mois suivant. Ernest Bozzano en a fait, lui aussi, un compte rendu en français (dans les *Annales des sciences psychiques* d'août 1905) que je reproduis ici.

Je possède un chien terrier de cinq ans, que j'ai élevé moi-même. J'ai toujours beaucoup aimé les animaux, et surtout les chiens. Celui dont il s'agit me rend tellement mon affection que je ne puis aller nulle part, même pas quitter ma chambre, sans qu'il me suive constamment. C'est un terrible chasseur de souris; et, comme l'arrière-cuisine est parfois fréquentée par ces rongeurs, j'y avais placé une couchette bien commode pour Fido. Dans la même pièce se trouvait un fourneau dont faisait partie un four pour la cuisson du pain, ainsi qu'une chaudière pour la lessive, munie d'un tuyau qui aboutissait à la cheminée. Je ne manquais jamais, le soir, d'accompagner le chien à sa couchette, avant de me retirer. Je m'étais déshabillé et j'allais me coucher, lorsque je fus saisi tout d'un coup d'une sensation inexplicable de danger imminent. Je ne pouvais songer à autre chose qu'au feu; et l'impression était si forte, que je finis par céder. Je me rhabillai, descendis, et me pris à visiter l'appartement pièce par pièce, pour m'assurer que tout était bien en ordre. Arrivé à l'arrière-cuisine, je ne vis pas Fido; supposant qu'il avait pu sortir de là pour se rendre à l'étage supérieur, je l'appelai, mais en vain. Je me rendis aussitôt chez ma belle-sœur pour lui en demander des nouvelles: elle n'en avait pas. Je commençai à me sentir inquiet. Je rentrai tout de suite dans l'arrière-cuisine et j'appelai à plusieurs reprises le chien, mais toujours inutilement. [...]

Tout à coup, il me passa par la tête que, s'il y avait une chose qui pouvait faire répondre le chien, c'était bien la phrase: «Allons nous promener, Fido», phrase qui le mettait toujours en grande joie. C'est ce que je fis, et une plainte suffoquée, comme affaiblie par la distance, parvint cette fois à mon oreille. Je recommençai et j'entendis distinctement une plainte de chien en détresse. J'eus le temps de m'assurer que le bruit venait de l'intérieur du tuyau qui faisait communiquer la chaudière avec la cheminée. Je ne savais comment m'y prendre pour en tirer le chien: les instants étaient précieux; sa vie était en danger. Je saisis une pioche et je commençai à rompre la muraille à cet endroit. Je réussis enfin, avec bien des difficultés, à tirer Fido de là, à demi suffoqué, en proie à des efforts de vomissements, la langue et le corps tout entiers noirs de suie. Si j'avais tardé quelques instants encore, mon petit favori serait mort; et comme on ne se sert que très rarement de la chaudière, je n'aurais probablement jamais connu quelle fin il avait eue. Ma belle-sœur était accourue au bruit; nous découvrîmes ensemble un nid de souris placé dans le fourneau du côté du tuyau. Fido, évidemment, avait chassé une souris jusqu'à l'intérieur du tuyau, de telle manière qu'il y avait été pris sans pouvoir se retourner ni en sortir. [...]

Flammarion lui-même en discuta

L'article de E. Bozzano se continue par ce court extrait du livre de Flammarion (*L'inconnu et les problèmes psychiques*). Mme Lacassagne, de Castres, raconte son aventure:

J'étais alors jeune fille et j'avais souvent en rêve une lucidité surprenante. Nous avions une chienne d'une intelligence peu commune: elle m'était particulièrement attachée, quoique je la caressasse fort peu. Une nuit, je rêve qu'elle meurt, et elle me regardait avec des yeux humains. En me réveillant, je dis à ma sœur: «Lionne est morte, je l'ai rêvé, c'est certain.» Ma sœur riait et ne le croyait pas. Nous sonnons la bonne et nous lui disons d'appeler la chienne. On l'appelle, elle ne vient pas. On la cherche partout et, enfin, on la trouve morte dans un coin. Or, la veille, elle n'était point malade, et mon rêve n'avait été provoqué par rien.

Morna

Le cas suivant est paru dans *Light* le 22 octobre 1904. Je le cite dans la traduction de Bozzano.

Il s'agissait d'un petit terrier, grand favori de ma famille, qui, par suite du départ de son maître, avait été donné à un de ses admirateurs, habitant à une centaine de milles de chez nous.

Un an après, comme j'entrais un matin dans la salle à manger, je vis, à mon grand étonnement, la petite Morna qui courait en sautillant autour de la chambre et paraissait être en proie à une frénésie de joie; elle tournait, tournait, tantôt en se fourrant sous la table, tantôt en se faufilant sous les chaises, ainsi qu'elle était habituée à faire dans ses moments d'excitation et de joie, après une absence plus ou moins longue de la maison. J'en conclus naturellement que le nouveau maître de Morna l'avait reconduite chez nous ou que, tout au moins, la petite chienne était parvenue toute seule à trouver le chemin de son ancienne demeure. J'allai aussitôt questionner à ce sujet les autres membres de la famille, mais personne n'en savait rien; d'ailleurs, on eut beau la chercher partout et l'appeler par son nom, Morna ne se fit plus voir. On me dit donc que je devais avoir rêvé ou, pour le moins, que je devais avoir été victime d'une hallucination; après quoi l'incident fut vite oublié.

Plusieurs mois, un an peut-être se passa, avant qu'il nous arrivât de rencontrer le nouveau maître de Morna. Nous lui demandâmes aussitôt de ses nouvelles. Il nous dit que Morna était morte à la suite de blessures qu'elle avait reçues au cours d'une lutte avec un gros chien. Or, à ce que j'ai pu constater, cela s'était passé à la même date, ou bien peu de temps avant le jour où je l'avais vue (en esprit) courir, sautiller, tourner autour de la salle de son ancienne demeure.

Judy

Bozzano extrait l'anecdote suivante des *Proceedings of the Society for Psychical Research*.

Mary Bagot logeait à l'Hôtel des Anglais, à Menton, en 1883. J'avais laissé chez moi (dans le Norfolk), dit-elle, un petit chien terrier jaune-noir, appelé *Judy*, mon grand favori, et je l'avais confié aux soins de notre jardinier. Un jour, pendant que j'étais assise à une table de la salle à manger, j'aperçus tout à coup mon petit chien qui traversait la salle et, sans réfléchir, je m'écriai: «Tiens, comment Judy est-il donc ici?» Il n'y avait pas de chien dans l'hôtel. Aussitôt que je pus monter chez ma fille qui était souffrante et au lit, je lui racontai la chose.

Mme Wodehouse, la fille de Mme Bagot, a rapporté ses souvenirs à ce sujet:

Je me souviens parfaitement que mon père, ma mère, ma sœur et ma cousine entrèrent tous ensemble dans ma chambre et me racontèrent en riant que ma mère avait vu Judy (un terrier jaune-noir) traverser la salle à manger pendant qu'ils étaient à table. Ma mère était tellement sûre de ce qu'elle avait vu que quelqu'un, mon père je crois, alla demander à un garçon de l'hôtel s'il y avait des chiens dans l'établissement, et on lui répondit par la négative.

Mme Bagot continue son récit:

Quelques jours après, je reçus une lettre dans laquelle on me rapportait que Judy, après être sorti le matin avec le jardinier pour faire sa promenade quotidienne, et se portant très bien, avait été frappé d'un mal soudain, vers l'heure du déjeuner, et était mort en une demi-heure. [...] Mon impression était pourtant que le petit chien était mort justement le soir où je le vis.

Fox

Voici de nouveau un rêve. Le premier lundi du mois d'août 1883, M. E. W. Phibbs va se coucher de bonne heure, vers 10 h du soir. Il s'endort aussitôt. Une demi-heure plus tard, son épouse entre dans la chambre et il se réveille.

Je lui racontai que je venais de faire un rêve dans lequel je voyais mon chien Fox étendu, blessé et mourant au pied d'un mur. [...]

Mᵐᵉ Jessie Phibbs confirmera le récit de ce rêve. M. Phibbs continue son histoire:

Le lendemain, mardi, je reçus de chez moi (Barton End Grange, à Nailsworth), une lettre écrite par ma bonne, qui m'avertissait que Fox n'avait plus reparu depuis deux jours. Je répondis aussitôt en ordonnant d'exécuter les recherches les plus minutieuses. Le dimanche, je reçus une lettre qui m'avait été écrite la veille et dans laquelle on m'informait que le chien avait été attaqué et tué par deux chiens bulldogs le soir du lundi précédent. [...]

Le lundi en question, une dame avait vu les deux bulldogs attaquer et déchirer férocement mon chien. Une autre dame, qui habitait non loin de là, dit que vers 9 h du soir même, elle avait vu mon chien qui gisait mourant au pied d'un mur qu'elle m'indiqua et que je voyais pour la première fois. Le lendemain matin, le chien avait disparu. J'appris par la suite que le propriétaire des bulldogs, ayant appris ce qui était arrivé, et craignant les conséquences, avait pourvu à le faire ensevelir vers 10 h 30 le soir même. L'heure de l'événement coïncide avec celle de mon rêve.

Bonika

Certaines histoires voyagent d'un pays à l'autre, d'une publication à l'autre; c'est le cas de cette anecdote parue dans une revue italienne, *Il Vessillo Spiritista*, puis traduite dans les *Annales des sciences psychiques* (volume VIII, p. 45) avant de reparaître dans l'article de Bozzano dans le tome XV de la même revue, d'où nous l'avons reprise pour votre plus grand intérêt. C'est Mˡˡᵉ Lubow Krijanowsky, fille de feu le général du même nom, qui s'exprime à propos d'un petit chien, Bonika, favori de sa sœur Wera; le chien souffrait de toux et de suffocation.

Une nuit, l'état de Bonika empira tout d'un coup; [...] et l'on résolut que dès le matin on irait chez le vétérinaire [...]. Donc, au matin, Wera et notre mère partirent avec le petit malade; moi, je restai et me mis à écrire. J'étais si absorbée que j'oubliais le départ des miens quand, tout à coup, j'entendis le chien tousser dans la chambre voisine. C'était là que se trouvait sa corbeille et, depuis qu'il était malade, à peine commençait-il à tousser ou à gémir que quelqu'un de nous allait voir ce dont il avait besoin, lui donnait à boire et lui présentait sa médecine ou lui ajustait le bandage qu'il portait au cou.

Poussée par l'habitude, je me levai et m'approchai de la corbeille; en la voyant vide, je me rappelai que maman et Wera étaient parties avec Bonika, et je restai perplexe, car la toux avait été si bruyante et si distincte qu'il fallait rejeter toute idée d'erreur.

J'étais encore pensive devant la corbeille vide quand, près de moi, se fit entendre un de ces gémissements dont Bonika nous saluait quand nous rentrions; puis un second qui semblait venir de la chambre voisine; enfin une troisième plainte qui semblait se perdre dans le lointain.

J'avoue que je restai saisie et prise d'un frémissement pénible; puis l'idée me vint que le chien avait expiré; je regardai l'horloge; il était 11 h 55.

Inquiète et agitée, je me mis à la fenêtre et j'attendis les miens avec impatience. En voyant Wera revenir seule, je courus vers elle et lui dis à brûle-pourpoint: «Bonika est morte.» «Comment le sais-tu?» dit-elle, stupéfaite. Avant de répondre, je lui demandai si elle savait à quelle heure précise elle avait expiré. «Quelques minutes avant midi», me répondit-elle.

Voici maintenant l'histoire comme la vécut Wera Krijanowski. C'est toujours Lubow qui parle:

Quand elles étaient arrivées chez le vétérinaire vers 11 h, celui-ci était déjà sorti; le domestique pria ces dames de vouloir bien patienter. [...] Elles restèrent donc, mais, comme le chien se montrait toujours plus agité, Wera tantôt le posait sur le divan, tantôt le mettait à terre, et consultait la pen-

dule avec impatience. [...] Le chien fut pris de suffocation. Wera voulut le remettre sur le divan; mais comme elle le soulevait, elle vit tout à coup le chien ainsi que ses mains s'inonder d'une lumière pourpre si intense et si éclatante que, ne comprenant rien à ce qui arrivait, elle cria: «Au feu!»

Ernest Bozzano termine là les quelques récits de télépathie où le chien envoie un message à ses propriétaires, qui le reçoivent en rêve ou au milieu de leurs activités quotidiennes sous forme d'une hallucination visuelle ou auditive. Mais s'agit-il bien d'une hallucination ou ont-ils vraiment vu ou entendu quelque chose?

Et d'autres

D'autres auteurs racontent des histoires semblables; ainsi en est-il de Raymond Bayless dans *Animal Ghosts*.

Un rêve télépathique fut relaté par G. W. Lambert. En 1963, un homme promenait son terrier. Le chien creusa et disparut dans un banc de terre sablonneuse. Pendant une semaine, le propriétaire, aidé de deux membres de la société de protection animale et d'une série d'amis, tenta de retrouver le chien, creusant la terre de-ci de-là. Mais sans succès.

Son épouse eut alors deux rêves, coup sur coup, dans lesquels elle voyait le chien vivant. Quelques jours plus tard elle accompagna l'équipe de recherche et désigna un point sur le sol. On creusa et l'on découvrit le chien, vivant, à 12 m à peu près du premier trou creusé par les sauveteurs, qui, manifestement, s'éloignaient du chien au lieu de s'en rapprocher. Ils n'auraient jamais pu sauver le chien sans la révélation donnée en rêve.

Télépathie de crise

Certains cas sont étonnants, écrit Robert Lyle Morris (1970), *dans l'un d'eux, un chien est laissé chez un vétérinaire alors que les propriétaires partent en Floride. Un matin, le chien se mit à hurler à 10 h et persista pendant une bonne heure. Ce comportement poussa le vétérinaire à signaler cet événement singulier à la famille à son retour. Ils furent abasourdis, parce que, ce matin-là, ils avaient été isolés par une inondation subite qui avait duré de 10 h à 11 h.*

Toby, le labrador

J'ai adapté quelques éléments de cette anecdote de Brad Steiger, anecdote qui n'est malheureusement pas datée.

Joseph Schwarzl, 47 ans, mécanicien automobile, habitant à San José en Californie, n'hésite pas à affirmer qu'il doit la vie à son chien labrador, Toby.

Un dimanche soir, après un week-end de ski, Schwarzl réparait sa voiture dans son garage. «J'étais assis dans la voiture, le moteur tournait — ce qui n'aurait pas posé de problème si le ventilateur de l'immeuble n'avait pas été cassé. Pour empirer les choses, j'avais fermé les portes du garage à cause du froid.

Fatigué du week-end, Schwarzl s'endort. Le garage s'emplit du monoxyde de carbone...

Toby était à la maison en compagnie de la mère de Schwarzl qui arrivait de son Autriche natale. «Toby s'agita et se mit à aboyer, raconta Schwarzl, maman ne pouvait rien faire pour le calmer. Il courait vers la porte, la grattait et la griffait. Quand elle le laissa sortir, il s'enfuit, s'arrêta, se retourna pour voir si elle suivait.»

Mme Schwarzl ne parlait pas bien l'anglais et ne conduisait pas — elle fut donc incapable de parcourir les 4 milles jusqu'au garage pour demander à Joseph des explications sur le comportement de Toby. Finalement, en désespoir de cause, devant l'inutilité de ses efforts pour calmer le chien, elle se rendit chez un voisin et lui demanda de la conduire jusqu'au garage.

«Ils me trouvèrent inconscient, le moteur crachant toujours son monoxyde de carbone mortel, raconta Schwarzl, d'une façon ou d'une autre, Toby savait que j'étais en danger — et il me sauva la vie.»

Wolfgang, le berger allemand

Mme Irmgard Auckerman, agent immobilier à Campbell en Californie, revenait d'un voyage d'affaires et s'arrêta un moment chez elle. Wolfgang, son berger allemand, était en pension chez son ex-mari et elle lui téléphona pour organiser la reprise du chien. «Mon ex avait laissé son répondeur branché et je lui ai juste laissé un message lui indiquant que j'étais rentrée et que, comme il n'était pas là, je lui laisserais Wolfie un jour de plus.

«En conduisant vers mon bureau, j'eus un message très fort dans mon esprit, que je ne compris pas directement... Quelque chose était très urgent, mortel et dangereux.» Mme Auckerman s'arrête à une station-service, appelle sa fille qui va très bien. Cela la rassure. Elle téléphone à son bureau mais personne ne lui a laissé de message. Elle reprend sa voiture et semble conduire de façon automatique. «Je traversai toute la ville sans avoir aucune idée de l'endroit où j'allais. Ce n'est que quand je me retrouvai devant la S.P.A. que je réalisai où j'étais et ce que je faisais.»

Elle se précipita dans le bâtiment. Il lui fallut 20 minutes pour trouver Wolfgang. Il avait été dans le chenil pendant 3 jours, sans aucune indication d'identité et sans personne pour le réclamer. Le délai d'attente était passé et il aurait été euthanasié dans l'heure suivante...

La puissance du regard

Une petite expérience anodine, par exemple lors d'une conférence ennuyeuse ou dans un restaurant bondé, montrera toutefois que dans la majorité des cas, scruter avec une intensité soutenue l'arrière de la tête de quelqu'un mettra celui-ci mal à l'aise et l'amènera à se retourner et à lancer un coup d'œil inquiet. On peut faire de même avec un chat ou un chien endormi, et avec des oiseaux de notre jardin — sans parler des enfants... (René Haynes, cité par Sheldrake)

Durant des heures d'affilée, les renardeaux s'ébattent avec entrain au soleil de l'après-midi; certains traquent des souris et des sauterelles imaginaires, d'autres défient leurs compagnons dans des simulacres de luttes ou de chasses...; le plus frappant dans tout cela est que la vieille renarde, étendue en retrait afin de pouvoir surveiller à la fois leurs ébats et les parages, semble exercer un contrôle constant sur toute la portée sans jamais émettre le moindre son. De temps à autre, lorsque les cabrioles d'un renardeau l'entraînent trop loin du terrier, la renarde dresse la tête pour le tenir à l'œil; et son regard produit finalement le même effet que l'appel silencieux de la louve; il immobilise le renardeau comme si elle avait poussé un cri ou envoyé un messager. S'il ne se produisait qu'occasionnellement, on pourrait imputer le phénomène au hasard et le négliger, mais il est courant et prend un caractère toujours aussi impératif. L'ardent renardeau s'arrête net, se retourne comme s'il avait reçu un ordre, rencontre le regard de la renarde, et revient comme le fait un chien bien dressé quand on le siffle. (W.J. Long, cité dans Sheldrake)

Le désintérêt des psychologues et des parapsychologues

Le mérite d'avoir remis en valeur la puissance du regard revient à Rupert Sheldrake. Il a fait des recherches bibliographiques et n'a trouvé que six articles sur le sujet en cent ans. Ce sujet n'a intéressé ni les psychologues ni les parapsychologues, alors que tout le monde, vous et moi, avons fait cette expérience. C'est tout de même étonnant.

J'ai fait cette expérience à plus d'une reprise, que ce soit dans les transports en commun ou dans les réunions de société, quand le discours m'ennuyait profondément. Je regardais le dos d'une personne située devant moi, sans avoir à tourner la tête (pour ne pas afficher un comportement hors norme), jusqu'à ce que cette personne bouge ou se retourne. J'ai fait la même chose avec des chiens et des chats. Parfois, c'était efficace, mais pas toujours. Harriet Andriessen et sa sœur faisaient de même avec des gens, parfois en regardant la même personne pour voir si l'effet serait plus rapide, ou avec leur chienne Donia, qui répondait bien plus vite que sa fille, considérée comme bien moins intelligente.

Dans la puissance du regard, il y a l'amour et le mauvais œil. Déjà dans la mythologie de la Grèce ancienne, le regard de la Méduse (dont la tête était coiffée de serpents) changeait les hommes en pierre. Comme l'écrit Sheldrake: «Dans notre société occidentale, on considère en général que fixer autrui est une marque d'impolitesse, et cela suscite souvent un sentiment de malaise ou des réactions agressives.» Mais on peut ajouter que si l'on ne regarde pas la personne à qui l'on s'adresse, on donnera l'impression d'être faible et timide, alors que le fait de regarder dans les yeux, sans toutefois fixer de façon continue, au moment où l'on dit quelque chose d'important, est une marque d'affirmation. Fixer le regard représente, chez l'être humain comme chez le chien, une menace, une marque d'agression. Chez le chien, un regard dominant est dirigé sur la croupe du vis-à-vis. Chez l'humain, ce regard peut être considéré comme «faux» ou timide, ou encore éventuellement pervers si la personne en face de soi est de l'autre sexe. Les choses sont donc complexes.

Le regard fait partie de l'ensemble des éléments de la métacommunication, cette communication sur la communication, c'est-à-dire ces gestes, attitudes et postures qui accompagnent le message donné par la voix dans l'espèce humaine. Ces messages sont partie intégrante de la communication et sont même plus importants que le message vocal lui-même; ils le confirment ou l'infirment, rendant la communication congruente et claire dans le premier cas ou paradoxale et angoissante dans le second.

Dans l'extrait du texte du naturaliste W.J. Long, on remarque la puissance du regard d'une mère sur ses renardeaux. En serait-il de même chez tous les canidés? En serait-il de même chez tous les mammifères supérieurs? De nombreux propriétaires de chiens m'ont dit qu'ils étaient capables d'attirer l'attention de leur chien simplement en le regardant, même de dos.

Des expériences sur la puissance du regard entre êtres humains proposées par Sheldrake pourraient être modifiées pour s'appliquer à la relation entre l'homme et le chien.

Que pourriez-vous tenter de faire?

Une expérience sur la puissance du regard

Désirez-vous tester la puissance de votre regard vis-à-vis de votre chien? C'est tout simple et cela ne coûte rien.

Observez votre chien quand il se couche pour se reposer à quelque distance de vous ou même à vos pieds. Que fait-il? Vous regarde-t-il ou vous ignore-t-il? Essayez de déterminer quand votre chien ne recherche pas votre regard, ne vous regarde pas, se désintéresse de vous. Car c'est à ce moment-là qu'il vous faudra faire l'expérience, au moment où votre chien ne se doute pas de votre intérêt. Le chien n'est pas endormi, il s'apprête seulement à faire une sieste.

Bien sûr, vous restez calme, vous n'avez à votre disposition ni un jouet appartenant au chien, ni un aliment qui puisse l'intéresser.

Vous avez une pièce de monnaie dans votre main fermée. C'est le système le plus simple, car tout autre système pourrait faire du bruit et attirer l'attention du chien. Vous ouvrez silencieusement votre main et regardez si la pièce est du côté «pile» ou du côté «face». Vous aurez auparavant décidé que «pile», vous regardez le chien et «face», vous ne le regardez pas (ou l'inverse).

Si c'est «pile», vous regardez le chien pendant 20 secondes à 1 minute, sans bouger, sans faire de bruit. Ensuite, vous notez sur un papier le comportement du chien: a-t-il bougé, s'est-il retourné, vous a-t-il regardé?

Si c'est «face», vous pensez à tout ce que vous voulez sauf au chien, vous regardez tout ce que vous voulez sauf lui. Il serait alors idéal que quelqu'un, directement ou grâce à une caméra vidéo, ait observé le chien et noté ses réactions comportementales: a-t-il bougé, s'est-il retourné, vous a-t-il regardé?

Répétez cette expérience des centaines de fois. Eh oui! c'est une des exigences de l'étude statistique. Avec un risque acceptable de 5 p. 100 d'erreur, vous devriez obtenir plus de 55 p. 100 de résultats positifs quand vous tombez sur «pile», révélant des comportements d'attrait chez votre chien, comportements différents lorsque vous tirez «face».

La puissance de votre pensée

Une fois ces tests faits, vous pouvez envisager d'aller plus loin et d'essayer non plus la puissance de votre regard mais la puissance de votre pensée. Ainsi, quand vous tirez «pile», au lieu de regarder le chien, vous pensez au chien sans le regarder et quelqu'un enregistre le comportement de l'animal.

Que faire de vos résultats?

Bonne question!

Vous pouvez déterminer si votre chien et vous avez une relation spéciale, si votre regard possède cette puissance dont nous parlons, si votre chien possède cette faculté de pressentir votre regard ou votre pensée.

Vous pouvez aussi m'envoyer vos résultats à l'adresse qui paraît à la page 210. Si vous m'en donnez l'autorisation, cette documentation pourrait être publiée dans une prochaine édition.

Télépathie homme-chien
et zootélékinésie

Une anecdote

Un officier de mes connaissances, écrit le baron Joseph Kronhelm dans la *Revue Spirite* de janvier 1905, *caserné à Gajsin, en Podolie, partait en avril en Mandchourie pour la guerre contre le Japon. La veille du jour de son départ, il remit son chien de chasse, un bel animal très intelligent et qui lui était très attaché, à un autre officier du même régiment, son ami, grand amateur de chasse, en le priant de garder le chien jusqu'à son retour, si Dieu lui permettait de revenir. Dans le cas où il mourrait, le chien devait rester la propriété de son ami. Trois mois après le départ de l'officier, un matin, le chien, sans aucune cause apparente, se mit à pousser de terribles hurlements, qui incommodèrent fort la famille de l'officier et ses voisins. Tout ce qu'on fit pour le calmer ne servit à rien. La pauvre bête ne fit aucune attention aux caresses de l'officier et de sa femme, ne voulut rien manger, hurla sans discontinuer jour et nuit, et ne cessa ses hurlements que le troisième jour.*

L'officier, un homme très instruit, qui avait déjà entendu parler de pressentiments chez les animaux, nota soigneusement la date de cet événement. […]

Quelque temps après arriva la nouvelle de la mort de l'officier, propriétaire du chien, qui fut tué pendant un affrontement avec les Japonais, le matin du jour où son chien avait poussé des hurlements.

Cette histoire est narrée par Ernest Bozzano avec la critique suivante: «Il est évident que dans ce cas, le fait de la coïncidence pure et simple entre les deux événements ne peut servir de base sûre pour aucune forme d'induction scientifique; c'est à peine s'il peut donner lieu à une conviction personnelle.»

Et Bozzano a raison! Même si l'on avait 100 cas semblables, cela ne serait pourtant pas une preuve scientifique, car le hasard peut être responsable de la coïncidence des événements. Si l'on veut prouver qu'il y a une forme de télépathie entre l'homme (comme émetteur) et l'animal (comme récepteur), il faut chercher ailleurs.

Une réflexion

Dans un article de juillet 1950 paru dans le *Journal for Psychical Research,* un physicien exprimait ses réflexions au sujet de la recherche psychique. On pouvait y lire ce qui suit:

«[...] Le dressage d'un chien par son maître est-il entièrement dépendant des sens *normaux* des deux partenaires ou existe-t-il un contact direct entre les champs psi des deux individus? Considérant l'intelligence limitée du chien, et le fait que dans toute interaction psi ce sont les idées et non les symboles spécifiques qui sont transmis, il me semble très probable que, dans les paires harmonieuses de chien-et-berger, nous ayons une transmission de l'intention du berger dans le psychisme du chien...»

Et l'auteur conseille alors de réaliser des expériences dans lesquelles l'homme tâcherait d'influencer mentalement le comportement des animaux. «Ce type d'expérience, continue-t-il, pourrait être appelé *zootélékinésie[...]*» Et plus loin, il écrit aussi: «Les anecdotes au sujet de la sensibilité des chevaux et des chiens (et des chats[11]) dans des phénomènes de hantise (fantômes) aident à indiquer que l'interaction des champs psi humains et animaux est une affaire qui paraît bien fondée.»

Les expériences que nous relatons plus loin semblent des démonstrations typiques de cette *zootélékinésie* ou, en d'autres mots, de cette action à distance de l'homme sur le comportement (locomoteur) des animaux.

Les expérimentations de Bechterev

Le professeur W. Bechterev, neurophysiologiste, président de l'Académie psychoneurologique et directeur de l'Institut pour la recherche sur le cerveau à Saint-Pétersbourg (et cofondateur de la réflexologie avec Pavlov), réalisa différents tests de télépathie sur des chiens. Son rapport original parut en 1924 dans la revue *Zeitschrift für Psychotherapie*. Une version abrégée fut publiée en anglais dans *The Journal of Parapsychology*, en 1949. C'est de cette version, intitulée «Influence directe d'une personne sur le comportement des animaux», que nous tirons les extraits suivants.

«La question de l'influence mentale directe sur les animaux mérite une considération spéciale, et longtemps j'ai attendu l'occasion de traiter cette question de façon expérimentale. Il y a quelques années, peu avant le début de la Grande Guerre, cette occasion se présenta.

«De façon tout à fait accidentelle, malgré une indifférence totale envers l'animation des cirques pendant de nombreuses années, je visitai le Cirque moderne de Saint-Pétersbourg. Ce soir-là, W. Durow présentait ses animaux dressés, parmi lesquels se trouvait un saint-bernard tranquille et fidèle du nom de Lord.

«Les démonstrations furent conduites de la façon suivante: Durow demandait à un volontaire dans la salle d'écrire des chiffres quelconques, mais dont la somme ne pouvait dépasser neuf, parce que, selon lui, Lord ne comptait que jusqu'à neuf. Deux ou trois chiffres étaient donc écrits par une personne sur un morceau de papier ou une ardoise, puis montrés à Durow, qui tournait le dos au chien. Immédiatement après la commande verbale de Durow, le chien aboyait la somme des chiffres. Les tests furent souvent reproduits et toujours réussis: le chien aboyait à voix forte et exactement le nombre de fois indiqué par la somme.

«Durow nota ma présence dans le cirque. Il demanda mon assistance pour élaborer quelques expériences. Le jour convenu, il amena deux chiens dans mon appartement, Lord et un fox-terrier du nom de Pikki.

«Lord fut assis sur un fauteuil. Durow suggéra que des chiffres soient écrits sur un morceau de papier, additions ou soustractions dont le total ne pouvait excéder neuf. Ces nombres furent montrés à Durow qui, le dos tourné au chien, donna le signal: "Maintenant, Lord, compte!" Et Lord aboya le nombre indiqué par la somme ou la différence des deux chiffres. Ces expériences furent répétées un grand nombre de fois, toujours avec le même succès.

«Je dois signaler que montrer les chiffres au chien n'avait pas d'effet, car il était incapable de compter, ce que d'autres expériences démontrèrent. S'il donnait le nombre indiqué par la somme ou la différence, c'était seulement parce qu'il recevait une suggestion mentale appropriée après les mots: "Maintenant, Lord, compte!" Si cette suggestion était omise, les expériences ne réussissaient pas. Si l'on montrait au chien une addition, il aboyait mais sans donner le résultat exact. Quand j'essayais d'accompagner les chiffres écrits de mouvements appropriés, il ne donnait pas non plus le résultat exact. Alors que les expériences avec la suggestion mentale étaient toujours réussies. Il est clair que seule la concentration de l'expérimentateur sur un nombre d'aboiements consécutifs de un à neuf conduisait à la performance correcte.

«Une série d'expériences similaires furent conduites chez moi avec Pikki, un petit fox-terrier vif et agile.»

Durow décrit lui-même la méthode utilisée dans cette expérience:

«Supposez que nous ayons la tâche suivante: il nous faut suggérer au chien de se diriger vers une table et d'y prendre un livre qui s'y trouve. Je l'appelle, il vient. Je prends sa tête entre mes mains comme si je lui inculquais symboliquement l'idée qu'il est entièrement en mon pouvoir[…].

«Je fixe mes yeux sur les siens[…] Je rassemble tout mon pouvoir nerveux et ma concentration de telle façon que j'oublie le monde extérieur, imprimant mentalement en moi-même les contours de l'objet qui m'intéresse (dans ce cas-ci, la table et le livre) d'une façon telle que même si je regarde ailleurs, il se trouve devant moi comme s'il était réel. Pendant une demi-minute, je dévore littéralement l'objet des yeux, imaginant ses détails les plus infimes[…] Suffit! Je l'ai mémorisé.

«Je tourne le chien vers moi et je regarde dans ses yeux, quelque part à l'intérieur de lui. Je fixe dans son cerveau ce que j'ai tout juste fixé dans le mien. Je mets mentalement devant lui la partie du plancher qui mène à la table, ensuite les pieds de la table, ensuite la nappe, et finalement le livre. Le chien devient nerveux, ne tient plus en place, veut se libérer. Alors, je lui donne la commande mentale: *"go!"* Il s'en va comme un automate, s'approche de la table, saisit le livre avec ses dents. La tâche est accomplie.

«Les expériences furent réalisées pendant l'après-midi en présence de membres de ma famille et de quelques connaissances. En tout, six expériences furent conduites, les quatre premières par Durow et les deux dernières par moi-même. L'une d'elles est relatée ci-après:

«Après le processus de "suggestion", le chien devait sauter sur une des chaises situées près du mur derrière Durow, ensuite il devait monter sur la petite table ronde à côté et, en s'étirant, il devait gratter le grand portrait accroché au mur au-dessus de la table. Cela semblait une tâche compliquée qui ne serait pas réalisée facilement par un chien. Mais après la méthode habituelle de concentration et après qu'on l'ait regardé dans les yeux, le chien Pikki sauta de sa chaise, quelques secondes plus tard courut rapidement vers celle qui se trouvait contre le mur, sauta de là sur la petite table, se dressa sur ses pattes de derrière et gratta le portrait avec sa patte antérieure droite. Cette tâche n'était connue que de Durow et de moi-même. Je regardais Durow, l'examinant, lui et le chien, sans pouvoir noter quoi que ce soit qui puisse expliquer comment cette tâche était accomplie. Pour me convaincre, je décidai de réaliser une expérience similaire sans rien dire à personne.

«La tâche était la suivante: le chien devait sauter sur une chaise ronde à 3,65 m de moi, près du grand piano, et rester là, assis. Je me concentrai sur la chaise ronde, ensuite je fixai mon regard sur celui du chien, après quoi il se mit à courir tout autour de la salle à manger. Je pensai que c'était un échec, puis me remémorai que j'avais concentré mon esprit exclusivement sur la chaise, oubliant de penser au trajet du chien vers la petite table ronde et ensuite sur la chaise. En conséquence, je décidai de répéter la même expérience, sans mentionner à personne la tâche ou mon erreur, mais en me corrigeant simplement. De nouveau, je fis asseoir le chien sur la chaise. J'entourai son museau de mes mains et me mis à penser qu'il devait courir vers la chaise ronde située 2,3 m derrière moi, sauter dessus, s'y asseoir et y rester. Après une concentration de 30 à 45 secondes, je le libérai et eus à peine le temps de regarder qu'il était déjà assis sur la chaise ronde. Cette tâche n'était connue de personne excepté moi-même et pourtant Pikki avait découvert mon secret sans la moindre difficulté.

«Durow quitta Saint-Pétersbourg le lendemain et les expériences ne purent se poursuivre à cause de la guerre. Après celle-ci, je rendis visite à Durow à Moscou, où je refis quelques expériences avec Pikki. Lord était mort. Mais Pikki n'avait pas changé. Et je réussis à conduire deux séries d'expérimentations avec lui.

«Au cours de la première séance, je réalisai cinq expériences. La tâche était modifiée chaque fois et connue de moi seul. Trois expériences eurent lieu en présence de Durow et deux en son absence et toutes les cinq furent réussies.

«Quand je visitai Moscou la fois suivante, je décidai de reproduire ces expériences en introduisant des conditions de test variées qui pourraient conduire à expliquer le mécanisme par lequel le succès était obtenu.

«L'expérience fut réalisée par Durow, en présence de l'un de mes collaborateurs, le Dr S., suivant une tâche que j'avais sélectionnée. Le chien devait s'élancer vers un petit loup en peluche dans le coin droit de la pièce. L'expérience se fit de la façon habituelle. Le chien fut placé sur la chaise, son museau entouré à deux mains et l'expérimentateur le regardait pendant une demi-minute. Quand il fut libéré, il s'élança vers le loup avec une telle furie qu'il l'aurait mis en pièces si on ne l'avait pas écarté de lui.

«Je réalisai moi-même une autre tâche, sans rien dire à personne. Le chien devait sauter sur une chaise et saisir la serviette qui pendait sur l'accoudoir. Après la technique de concentration habituelle, le chien se dirigea vers la bonne chaise; à ce moment, pourtant, il s'en détourna et se dirigea vers le loup avec sa furie antérieure.

«Il était évident que la suggestion précédente, à caractère émotionnel, avait laissé une impression profonde et qu'elle n'avait pas été suffisamment réduite avant la nouvelle suggestion. Les deux expériences suivantes eurent le même résultat, le chien se tournant vers le loup et aboyant furieusement.

«Au cours de l'expérience suivante, le chien devait prendre un mouchoir de la main droite du Dr S., qui était debout à quelque distance derrière moi. J'étais seul à connaître le but de cette expérience. Après la phase de concentration et de suggestion, le chien s'élança vers le Dr S. et arracha le mouchoir de sa main droite.

«Nous pensions que dans l'expérience de l'attaque du loup, le chien avait réagi à l'expression de la figure de Durow pendant la suggestion. Dès lors, nous nous mîmes d'accord pour répéter cette expérience de telle façon que Durow fasse semblant de rire pendant la suggestion. Ce qu'il fit.

«Sous notre observation continue, Durow fit semblant de rire et, comme auparavant, ne bougea pas les lèvres. Et pourtant, après la suggestion, le chien se précipita vers le loup avec la même rage qu'auparavant, aboyant à voix forte. Cette fois, nous pensions que le chien pouvait avoir été guidé par le mouvement des yeux de l'expérimentateur. Durow répéta l'expérience dans laquelle le chien devait saisir le mouchoir de la main du Dr S. et cette fois une serviette lui bandait les yeux. Au même moment, nous nous glissions dans une autre pièce. Durow se concentra suivant la même méthode et l'expérience fut un succès complet.

«Je n'ai pas d'explication spéciale à donner au sujet de ces expériences. Elles sont si étonnantes en elles-mêmes qu'elles méritent l'attention indépendamment de toute explication. Mais je dois dire que je ne suis plus guère étonné face aux anecdotes d'animaux qui sont bannis par un regard. La question qui se pose est la suivante: que peut-on dire et comment peut-on comprendre ces expériences? Avant toute chose, je tiens pour certain que le chien n'a pas été influencé par la conversation au sujet des tâches à réaliser, puisque les expériences que j'ai conduites moi-même le furent sans informer qui que ce soit de ce qui allait se faire[…]

«Après une première série d'expériences, je pensai qu'il n'y avait qu'une explication possible, que l'expérimentateur, en regardant les yeux du chien, bouge involontairement ses yeux (en direction de l'objet sur lequel il se concentre) et que le chien observe ce mouvement[…].

«Cette explication, cependant, ne dit pas pourquoi Pikki réussit à accomplir la tâche exigée lorsque les yeux de l'expérimentateur sont cachés[…]

«Je vais maintenant raconter les expériences qui furent conduites avec Pikki par les Drs K. et P., sur mes instructions. Durow n'eut aucun contact avec Pikki avant et pendant les expériences et ne put entrer dans la pièce qu'une fois les conditions de l'expérience fixées.

«*Expérience 1*: le chien doit sauter sur une chaise, puis sur une table et y prendre un papier. L'expérimentateur n'a pas touché le papier auparavant. Après la "fixation" (ou suggestion mentale) et le maintien de la tête du chien, l'expérimentateur se met sur le côté laissant le champ libre au chien. Pendant l'expérience, il a le dos tourné à la table. Le chien, après la suggestion, saute sur la chaise, puis sur la table, et prend le papier désigné à côté duquel se trouvent une brosse et une serviette.

«*Expérience 2*: l'expérimentateur fixe ses yeux sur le chien pendant que l'assistant tient le museau du chien. Après quelques minutes, le chien saute sur une chaise, ensuite sur le buffet et prend une cuillère qu'il rapporte à l'expérimentateur, tel que planifié. L'expérimentateur suit le chien des yeux tout le temps de l'expérience.

«*Expérience 3*: l'expérimentateur, les yeux cachés, tient la tête du chien qui doit sauter sur les genoux du docteur se tenant à proximité et prendre les gants qui s'y trouvent. Le chien réussit en deux minutes.

«*Expérience 4*: la figure de l'expérimentateur est cachée par un écran en bois. Le chien doit se rendre dans une autre pièce, sauter sur les genoux du docteur qui s'y trouve et lui donner un baiser. Les deux premières tentatives échouèrent; dans la seconde, le chien fit l'expérience 4 qu'on abandonna à la suggestion de Durow et qui consistait à prendre un morceau de pain dans un tube sur la table. La troisième tentative réussit.

«*Expérience 5*: la figure de l'expérimentateur est cachée par un écran métallique, mais ses mains tiennent la tête du chien. Le chien doit sauter sur une table, puis sur une chaise et prendre une poire qui pend au-dessus de la chaise. Différents essais restent infructueux, dont une tentative de prendre la poire, même en enlevant l'écran; ce n'est qu'en indiquant la poire du doigt que le chien réalise la tâche.

«*Expérience 6*: similaire à la précédente mais avec un écran de paraffine. Le chien doit sauter sur une chaise, puis sur la table et prendre un morceau de papier. Après trois tentatives, accompagnées du passage des mains devant la face du chien, la tâche est réalisée.

«*Expérience 7*: l'essai donne des résultats positifs sans passe de mains et sans qu'on ait touché le chien qui devait prendre un objet sur une chaise. Quand un écran de paraffine est utilisé, l'expérience échoue. Mais quand cet écran est métallique, c'est une réussite. L'expérimentateur ne touche pas le chien, mais éveille son attention en citant son nom tout en le "fixant" à travers l'écran.

«Ici, je voudrais discuter des expériences réalisées par le Dr F. envoyé à Moscou à mon instigation. Neuf expériences ont été réalisées; la première par Durow, la seconde par le Dr F. assisté par Durow, les suivantes par le Dr F. sans la présence de Durow. Toutes furent concluantes à l'exception de la quatrième au cours de laquelle le chien devait aboyer après un lapin en cage; le chien a couru dans la pièce, excité, mais n'a pas aboyé après le lapin. Il s'est révélé par la suite que le chien avait été dressé à ne pas aboyer après des animaux en cage. L'expérimentateur a demandé à Durow de répéter cette expérience chez lui et le chien a aboyé après le lapin.

«Des expériences ultérieures ont démontré que ni un écran en bois entourant de toutes parts la tête de l'expérimentateur ni d'épaisses lunettes emplies de paraffine (et portées devant les yeux) n'empêchaient l'exécution de la suggestion.

«Pour exclure l'affirmation selon laquelle le chien est guidé par des signes involontaires de l'expérimentateur, je proposai une série d'expériences complémentaires au cours desquelles le propriétaire ne serait pas présent, le chien (Pikki) serait conduit dans la pièce d'expérimentation juste avant l'expérience de telle façon que l'expérimentateur puisse se cacher derrière un écran ou de toute autre manière. Seul l'assistant, qui ne connaîtra pas la tâche exigée, sera en contact avec le chien pendant l'expérience. Le chien a malheureusement été malade au moment où ces essais devaient être tentés. Pourtant, les expériences suivantes, décrites par l'assistant, valent la peine d'être mentionnées:

«Durow était absent. Dans la chambre de W. j'écrivais la tâche: le chien devait prendre entre les dents une boule de papier qui se trouvait sous la table dans la chambre de A. et la mettre dans le fauteuil, en y immobilisant sa tête. Je me trouvais sur le seuil, le chien à 1 m de moi. À la première tentative de l'animal de se libérer, je me retirai dans la chambre de W., claquant la porte. Suivant le rapport de F., Pikki, après avoir sauté en bas de la chaise, courut vers la boule de papier sous la table indiquée (par la suggestion), la toucha du museau, puis courut dans un mouvement de va-et-vient vers deux autres boules de papier, les touchant également du nez.

«Au cours de l'expérience suivante, je me concentrai sur la course du chien de la chambre de A. vers celle de W. afin de l'y faire sauter sur la chaise. Le chien se précipita vers la chambre de W., passa à côté du Dr F. qui ne connaissait pas la tâche et ferma la porte derrière lui. Suivant son rapport, Pikki exécuta la tâche demandée.

«En considérant l'ensemble des expériences réalisées avec les deux chiens, nous pouvons conclure:

1. Le comportement des animaux, spécialement celui des chiens entraînés à obéir, peut être directement influencé par une suggestion mentale.
2. Cette influence peut être efficace sans contact direct entre l'humain *émetteur* et le chien *récepteur*.
3. Il s'ensuit que le chien peut être influencé directement sans aucun signe qui pourrait le guider.

«Il est absolument nécessaire d'ajouter combien d'autres expériences avec des chiens seraient désirables. Il serait important d'étudier non seulement les conditions gouvernant le transfert de l'influence mentale de *l'agent* au *récepteur*, mais aussi les circonstances concernées autant dans les inhibitions que dans les réalisations de ces suggestions. Cela serait d'un intérêt théorique et pratique évident.

«J'ai entamé moi-même de telles expériences avec Gabish, mon jeune chien, qui manquait totalement d'éducation dans ce domaine.

«À ce sujet, je mentionnerai qu'après un peu de pratique, il commença à répondre aux suggestions mentales; par exemple, il sautait et s'asseyait sur une chaise à laquelle j'avais pensé. Malheureusement, le chien s'est forcé une épaule et s'est mis à boiter et les expériences ont été arrêtées.

«Cette tentative a montré que les expérimentations peuvent être conduites non seulement avec des animaux entraînés, mais aussi avec des animaux qui ne le sont pas, après un peu de pratique, bien entendu, pour les habituer aux conditions expérimentales[…].»

Kazhinsky, un parapsychologue russe, publia, en 1962, quelques informations supplémentaires: Durow continua, semble-t-il, des expériences en coopération avec d'éminents scientifiques de l'époque. Au total 1 278 expériences de télépathie furent réalisées dont 696 furent réussies (582 échecs). Ce matériel fut étudié sur le plan statistique par le professeur Lakhtin qui conclut que les résultats n'étaient pas explicables par le simple hasard.

Vasiliev commenta le protocole de ces expériences: «La personne émettrice (l'expérimentateur), placée dans une chambre souterraine au toit constitué de panneaux métalliques, suggérait mentalement au chien une activité motrice déterminée. Cette demande n'était plus ou moins correctement réalisée que lorsque l'émetteur pouvait regarder le chien à travers une ouverture de la taille d'une face humaine. Quand cette fenêtre était fermée avec un panneau métallique, le chien échouait.»

En fait, cette fenêtre était relativement large et ne procurait réellement pas de masquage de l'expérimentateur. Et comme l'écrivait Rhéa White, si l'expérimentateur pouvait voir le chien, le chien pouvait probablement aussi le voir et, d'autre part, les dresseurs qui étaient avec le chien pouvaient inconsciemment et involontairement, ou consciemment et délibérément, diriger le comportement du chien par le biais de signaux, de mouvements, d'expressions faciales, etc.

Dès lors, écrivait Rhéa White, les résultats de Durow, même statistiquement significatifs, ne permettaient malheureusement pas de tirer de conclusions sur la présence de PES.

L'anecdote de Cecil French

Le rapport suivant d'une perception extrasensorielle apparente chez un chien est à relier à l'article du professeur W. Bechterev; il a été publié dans le même *Journal of Parapsychology*, volume XIII, en 1949, sous la plume de Cecil French, médecin vétérinaire. Les citations qui suivent sont extraites de cet article.

«De 1894 à 1914, j'étais spécialiste des chiens à Washington, D.C. Dans mon cabinet entra un jour un gentleman avec une chienne collie du nom de Miss Dozie [...] [À la fin de la consultation], le propriétaire me dit: "Je suppose que vous ne me croirez pas si je vous dis que mon chien lit les pensées. Si vous doutez de ma parole, je vous laisserai faire le test vous-même." Il m'expliqua alors que le Comité national républicain lui avait demandé d'emmener son remarquable chien de Chicago à Washington pour divertir à la Maison-Blanche le président Theodore Roosevelt.

«Il procéda alors à la démonstration en me demandant de lever le nombre de doigts que je désirais derrière mon dos. Se tournant vers le chien, il lui demanda: "Combien de doigts ce gentleman a-t-il levé?" Miss Dozie aboya correctement. Je répétai le test trois ou quatre fois, variant de 1 à 10 doigts, et chaque fois elle aboya correctement. Il n'y avait pas de miroir dans la pièce et aucune ombre ne pouvait avertir le propriétaire qui eût alors pu renseigner son chien d'une façon ou d'une autre. Ce fut une expérience étonnante et le propriétaire, voyant mon ébahissement, me dit: "Vous pensez peut-être qu'il y a une collusion entre Miss Dozie et moi-même? Dès lors, je vais vous laisser réaliser le test entièrement par vous-même. Je vais sortir dans la rue, et je vous suggère de la mettre dans l'autre pièce, de fermer la porte, et de l'appeler à travers cette porte, de telle façon qu'elle ne puisse pas observer le moindre signe de votre part." Il sortit et je fis comme il l'avait suggéré[...]. Et de nouveau, elle aboya correctement au cours de chacun des deux ou trois tests.

«J'arrêtai l'expérience[...]. Au moment où nous sortions sur le pas de la porte, le propriétaire demanda à la chienne: "Combien de gens dans la rue, Miss Dozie?" Elle aboya trois fois. "Combien de Blancs?" Elle aboya deux fois, indiquant son maître et moi-même. "Combien de gens de couleur?" Elle aboya une fois. Et en regardant loin en bas dans la rue, j'aperçus un Noir s'approchant de nous. Il n'y avait personne d'autre en vue à ce moment.

«Cela termine ce test surprenant qui, depuis, me laisse abasourdi devant cette merveilleuse manifestation de psychophysique d'un chien et pour laquelle j'attends toujours une explication!»

Rhéa White nous offre quelques commentaires et quelques précisions au sujet de Miss Dozie: il est vrai que le Dr French obtenait des résultats lorsque le propriétaire de la chienne était absent et même lorsque lui-même était de l'autre côté d'une porte; cependant cette porte avait un panneau vitré, et, dans ce cas-ci également, il est difficile de porter un jugement scientifique sur la présence d'une PES.

Bim

Rhéa White parle également du cas du chien boxer Bim, étudié dans les années vingt par la Société de psychophysique de Prague (cas publié dans le *Journal of the Society for Psychical Research,* volume XXIV): «Vingt et un membres de la Société étaient présents alors que le chien répondait aux questions, aboyant une fois pour "oui" et deux fois pour "non". Bim, habituellement, gardait les yeux fixés sur son maître, M. Sadowski, et quand le chien avait les yeux bandés, les résultats étaient négatifs. Cependant, un certain nombre d'expériences ont réussi alors que Sadowski était dans une autre pièce et que la porte entre les deux pièces était fermée.» Malheureusement, le rapport ne spécifie pas le nombre d'essais qui ont eu lieu dans ces conditions, ni si quelqu'un qui connaissait les réponses restait dans la pièce avec le chien. (Des informations sensorielles inconscientes peuvent avoir été transmises par quiconque était présent et non seulement par l'expérimentateur ou le propriétaire, facteur dont on n'a pas tenu compte à l'origine dans de nombreux tests.)

Hors du commun, non?

Clairvoyance
et prémonition spontanées

La clairvoyance est une perception de quelque chose (événement, objet, etc.) qui se fait en dehors du canal des sens ordinaires, donc extra-sensorielle. La clairvoyance, c'est la perception extrasensorielle ou PES. La prémonition ou précognition est la connaissance à l'avance d'événements qui vont se passer; elle englobe la notion de *déjà vu* ou de *déjà vécu*. La clairvoyance et la prémonition sont-elles présentes chez le chien? Un cas, anecdotique et sans valeur scientifique, semble l'illustrer.

My Wee Missie

Le cas de My Wee Missie, ou Missie tout court, semble avoir frappé bien des imaginaires. En tout cas, Bill Schul y a été sensible puisqu'il lui consacre pas moins de 12 pages dans son livre intitulé *Le pouvoir psychique des animaux.* Nous y puiserons quelques éléments montrant que Missie est véritablement un chien hors du commun. Bill Schul apprit l'existence de Missie par l'intermédiaire de l'éditeur de la revue *Psychic,* James Grayson Bolen, qui lui envoya un article du Dr Gina Cerminara intitulé «Missie, le chien psychique de Denver» et datant de septembre-octobre 1973. Bill décida alors de contacter la propriétaire de Missie, Mlle Mildred Probert. Après plusieurs appels téléphoniques et quelques lettres, Bill rendit visite à Mildred en 1976. Il ne vit pas Missie, décédée plusieurs années auparavant, mais il se fit conter son histoire…

Missie est née par césarienne; elle était tellement petite que personne ne crut qu'elle survivrait. Mildred, qui était alors employée à mi-temps dans une animalerie, s'occupait de ceux qui nécessitaient des soins plus attentionnés. Elle se chargea de Missie; celle-ci ne connut jamais ni sa mère ni ses frères et sœurs. Et, bien évidemment, ayant été imprégnée de l'espèce humaine pendant cette période essentielle de la vie d'un chien qu'est la prime jeunesse, elle ne considéra jamais les chiens comme dignes d'attention; sans doute s'était-elle fait d'elle-même une image humaine[12]!

Missie était un boston-terrier aux yeux bleu cobalt. Ses talents psychiques ne furent découverts qu'incidemment quand elle avait cinq ans. Mildred et Missie se promenaient et rencontrèrent une amie et son enfant de trois ans. Mildred demanda son âge à l'enfant qui, timide, ne répondit pas. Sa mère répondit à sa place.

Mildred se pencha alors vers l'enfant et lui dit: «Trois. Dis-le! Trois.» L'enfant resta silencieux mais Missie aboya trois fois. Tout le monde se mit à rire.

«Okay, petite maligne, dit Mildred, s'adressant au chien, quel âge as-tu, toi?» Missie aboya quatre fois, ce qui était correct.

«Et quel âge auras-tu la semaine prochaine?» La chienne aboya cinq fois, ce qui était encore et toujours correct.

Bientôt Mildred se rendit compte que Missie *calculait* également.

«Si je lève quatre doigts, et puis encore cinq, combien de doigts cela fera-t-il?» Missie aboyait neuf fois.

Missie élabora son code toute seule, aboyant d'abord les dizaines, puis faisant une pause, puis aboyant les unités; pour le zéro, elle poussait une sorte de soufflement.

Rapidement, les *pouvoirs extrasensoriels* de Missie furent exposés. Elle pouvait aboyer le nombre de lettres d'un mot ou d'un nom, même du nom d'une personne rencontrée dans la rue, ainsi que le numéro de sa maison.

«Combien de lettres y a-t-il dans le prénom de cette dame?»

La dame s'appelait Mary et Missie aboya quatre fois.

«Combien de lettres dans *merry* comme dans *merry Christmas?*» Elle aboya cinq fois. «Combien dans *marry* quand deux personnes se marient?» Et elle aboya cinq fois.

Missie pouvait répondre, que Mlle Probert soit dans la pièce ou non, et elle fut questionnée dans cinq langues différentes.

Dans les soirées, on lui demandait le nombre de pièces de monnaie que les gens avaient dans leur porte-monnaie. Un jour, on lui montra le dos d'une carte à jouer, lui demandant quel chiffre elle représentait; elle identifia alors toutes les cartes sans faire une seule faute; quand elle voyait un valet, une reine ou un roi, elle gémissait!

Missie décida d'aboyer trois fois pour «oui» et deux fois pour «non» tout en agitant la tête comme nous le faisons.

Elle était capable de donner le numéro d'un billet de banque ou d'une carte de sécurité sociale ainsi que la date de naissance des gens rencontrés, étrangers ou non, ainsi que leur numéro de téléphone privé.

Sa première prédiction fut réalisée le 15 octobre 1964, juste avant les élections présidentielles. Un commerçant voulait demander à Missie qui gagnerait les élections. Mais comment lui poser cette question?

«Si Lyndon Johnson est un et Barry Goldwater est deux, qui va gagner les élections?» Missie aboya une fois. La question fut répétée à l'envers, donnant deux pour Johnson et un pour Goldwater et Missie aboya deux fois. Quelqu'un téléphona au *Rocky Mountain News*. Un journaliste et un photographe vinrent rencontrer le chien psychique le 8 novembre 1964 et sa photographie parut dans le journal avec sa prédiction.

Plus tard, Missie prévit l'élection de Nixon et bien d'autres événements politiques. Elle prédit aussi le nombre de jours de retard du lancement de *Gemini 12*. À la Saint-Sylvestre de 1964, elle eut une interview à *KTLN*, une station radio de Denver, et répondit en direct à de multiples questions. Plus tard, le 30 septembre 1965, elle signala à Gary Robinson, speaker à cette même station, que le bébé que sa femme mettrait au monde ce jour-là serait une fille. Après cela, Missie fut une invitée-téléphone régulière à cette station de radio, prévoyant les résultats de matches de football ou de base-ball et, à la Saint-Sylvestre 1965, elle annonça des événements pour chacun des mois de 1966. Elle donna longtemps à l'avance la date des discussions de paix de Paris et leurs résultats.

Pendant la visite d'une femme enceinte, Mildred signala que Missie pouvait prédire *les dates de naissance,* ce à quoi la dame répondit: «Je sais à quelle date m'attendre, j'ai un rendez-vous pour une césarienne le 6 octobre.» Missie dit «non», rendant la dame très inquiète (elle avait déjà perdu deux bébés à la suite de fausses couches). Mildred demanda à la chienne si le bébé serait vivant; la réponse fut «oui».

Mildred: «Quand le bébé naîtra-t-il?»

La dame: «Je sais déjà cela!»

Missie: «Non, neuf», signifiant septembre, «deux», une pause et «huit», pour 28.

Mildred: «Une fille?»

Missie: «Non.»

Mildred: «Un garçon?»

Missie: «Oui.»

La dame: «Le docteur semble certain que ce sera une fille.»

Mais Mildred continue: «À quelle heure naîtra le bébé?»

Missie: «Neuf.»

Mildred: «Neuf heures du matin?»

Missie: «Non.»

Mildred: «Dans la soirée?»

Missie: «Oui.»

La dame: «J'ai bien peur que ce ne soit impossible; le docteur n'est pas à la clinique le soir et il a prévu l'opération pour neuf heures du matin.»

Mildred: «Combien pèsera le bébé?»

Missie: «Sept», pour sept livres (ou trois kilos et demi).

La dame: «J'en doute, mes autres bébés ne pesaient que cinq livres.»

Et la dame s'en alla, après avoir remercié Missie et Mildred de leur intérêt et montré un étonnement incroyable devant les capacités de compréhension du chien, tout en doutant de ses réponses.

La nuit du 28 septembre, Mildred reçut un appel du mari de la dame: «Mon épouse a dû être amenée d'urgence à l'hôpital; elle a donné naissance à un petit garçon à 9 h du soir.» Mildred demanda le poids du bébé et l'homme lui répondit: «Sept livres, et le bébé va bien.»

Missie connaissait l'*heure*[13] exacte à tout moment. «Je lui demandais: "Missie, quelle heure est-il?" et, sans regarder l'horloge, elle aboyait l'heure et les minutes. Un ami lui avait fabriqué une fausse horloge, comme pour les enfants, et elle en bougeait les aiguilles, toujours dans le bon sens, jamais dans le sens inverse, et de temps à autre, elle mettait son horloge à l'heure.

Missie souffrait d'épilepsie et de bien d'autres affections. Et, peut-être pour cette raison, c'était une chienne gâtée, dès lors tyrannique, qui en faisait voir de toutes les couleurs à sa propriétaire. Portée dans un sac quand Mildred faisait ses courses, Missie restait bien sage jusqu'à ce qu'elle voie un objet, un jouet qui lui plaisait, surtout les objets roses; alors elle faisait un vacarme de tous les diables pour l'obtenir. Missie voulait tout en rose, les jouets, les fleurs, les vêtements et même sa crème glacée. À deux reprises, elle vola dans un magasin.

Quand Mildred avait des visiteurs, Missie allait chercher son cochon-tirelire et le mettait devant eux, tapant de la patte sur le cochon pour qu'on lui donne une *dîme,* en fait le montant nécessaire pour s'acheter une crème glacée rose.

Missie était très *méthodique.* Tout devait toujours être à sa place. Si un meuble avait été déplacé, elle se mettait debout contre le meuble et hurlait jusqu'à ce qu'on le remette en place. Elle faisait le tour du propriétaire dans son pyjama rose avant de s'endormir. Pour dormir, elle exigeait la présence d'un chien en peluche, son chien en peluche, toujours le même, et qui devait rester dans son lit.

Le matin, elle demandait à mettre sa veste et mangeait ses toasts sans beurre, des crêpes au beurre ou des céréales, mais seulement si on les lui donnait à la cuillère. Elle refusait de manger dans une écuelle pour chien.

Mildred décourageait les questions sur les *dates de décès*. Cependant, en février 1965, des voisins vinrent lui rendre visite et Missie fut interrogée sur différentes dates et sur nombre de lettres et de numéros divers. À un certain moment, le voisin met la chienne sur une chaise et lui demande: «Combien de temps vais-je vivre?» Mlle Probert proteste et demande à Missie de ne pas répondre. Mais l'homme insiste et Missie aboie «25». Mildred dit alors qu'elle veut sans doute signifier 25 ans.

L'homme demande: «Combien d'années?»

Missie répond: «Deux.»

«Pourrais-tu me dire la date, le mois?»

«Quatre» pour avril, «trois» pour le jour et «1967» pour l'année.

M. Kincaid mourut à la date indiquée. En fait, il se savait condamné; il souffrait d'un cancer de l'estomac. Mais ce n'est pas cette maladie qui l'emporta; il décéda à la suite d'un coup de feu accidentel, à la date indiquée par Missie!

Missie eut une seule autre prémonition relative à un décès: sa propre mort. En mai 1966, quelques jours avant son 11e anniversaire, Missie attira l'attention de Mildred à plusieurs reprises sur l'horloge et aboya huit fois; comme ce n'était pas l'heure exacte, Mildred lui fit dire l'heure exacte, Missie obéit puis, immédiatement, aboya huit fois, pour dire huit heures. Ce soir-là, à huit heures précises, elle décéda, s'étranglant sur un morceau de nourriture. Plus tard, sa maîtresse découvrit l'horloge jouet de Missie dans un coin de la pièce; elle l'avait réglée à 8 h.

Missie et Mildred devaient se rendre à Hollywood trois semaines plus tard pour que la chienne commence un film de Walt Disney; un banquet publicitaire était prévu, toutes les décorations devaient être roses.

Missie, même décédée, étonna tout le monde: la rigidité cadavérique n'apparut qu'après 36 heures (au lieu de 12 heures); elle fut enterrée dans le fond du jardin et des pétunias roses furent plantés sur sa tombe; alors que ces fleurs annuelles meurent en hiver, celles-ci continuèrent à fleurir tout l'hiver malgré des gelées à -17 °C.

Hors du commun, non?

Clairvoyance homme-chien

Dans ce chapitre, je raconterai l'expérience de quelques chiens doués de capacités extraordinaires: ils peuvent répondre à des questions qu'on leur pose, ou que l'on imagine leur poser.

Le chien est-il capable de savoir ce que son maître pense?

Jerrie

Jerrie, berger belge croisé femelle de six ans, appartenant aux Johnson de Muncie, dans l'Indiana, dut au hasard d'être étudiée pour ses facultés particulières. Un jour qu'elle empêchait son maître de lire le journal, ce dernier lui dit: «Pour changer, c'est toi qui vas faire un peu d'animation. Et si tu comptais jusqu'à cinq?» La chienne aboya cinq fois.

Les Johnson découvrirent petit à petit que la chienne pouvait effectuer des soustractions, des racines carrées, répondre à des questions historiques, géographiques, etc., en aboyant une fois (pour «oui») ou deux fois (pour «non»).

Jerrie fut étudiée par Rhéa White et répondait, en sa présence, à des questions d'arithmétique écrites sur un tableau noir; même si Mme Johnson ne disait rien, elle ne pouvait s'empêcher de faire des mouvements du corps et des bras. Pour éviter le problème des signes conscients ou inconscients transmis à la chienne, cette dernière fut déplacée dans une autre pièce. Mais Jerrie refusa alors de travailler.

Penny

Penny, chien croisé mâle de quatre ans appartenant à Mlle Caroline Monks, de Cleveland, dans l'Ohio, fut initié au calcul par sa maîtresse. L'étonnement de sa propriétaire survint le jour où elle se rendit compte que Penny répondait tout aussi bien à l'épicier qui lui faisait faire des calculs dans une autre langue.

Rhéa White décida de tester Penny: ce dernier était assis aux pieds de Mlle Monks ou de Mlle MacCreary, une amie, qui tenait à la main une friandise. Des calculs étaient proposés au chien, qui répondait par des aboiements. Le résultat était en moyenne de 7 bonnes réponses sur 10. Rhéa White tenta de supprimer la friandise, mais Penny n'était pas habitué à ces conditions de travail. Croyant que la propriétaire faisait des mouvements indicatifs, elle tenta de mettre Penny dans une autre pièce, mais le chien refusa de travailler. Elle tenta également de réduire la luminosité ambiante; tant qu'il y avait une légère clarté, les résultats étaient corrects; dans l'obscurité, par contre, ils n'étaient pas supérieurs à ce que l'on pourrait obtenir par le simple hasard.

Enfin, observant des gestes quasiment imperceptibles de la propriétaire, Rhéa White se mit à deviner elle-même les résultats et obtint des scores équivalents à ceux du chien.

Happy

Happy, un cocker femelle de cinq ans, appartenait aux Petersen, de Kenosha, dans le Wisconsin. Sa maîtresse lui avait appris à «parler», c'est-à-dire à pousser des aboiements modulés; dans ce langage, le nombre de syllabes aboyées par le chien correspondait au nombre de syllabes du mot; c'est tout ce que pouvait en comprendre un observateur de l'extérieur.

Happy fut testée par Rhéa White pour connaître ses capacités de PES. Après quelques essais préliminaires, Happy fut testée dans les conditions suivantes: la chienne fut placée dans la cuisine avec Rhéa White et Dori, fille de Mme Petersen; celle-ci était dans le salon, séparée de

Happy par une porte de bois close; dans la cuisine, la radio était branchée et jouait à volume élevé. Mme Petersen avait à sa disposition plusieurs feuilles sur lesquelles étaient marqués des mots ou des phrases d'un nombre de syllabes variable (de un à cinq) tels que «Ruth» (le prénom de Mme Petersen), «Nixon», «one hundred», «Eisenhower» et «Miami, Florida».

Ruth Petersen mélange les feuilles, en choisit une au hasard, sans que White et Dori ne le sachent, lit mentalement le premier mot de la liste. Elle appelle alors Happy et lui demande de dire ce premier mot; la chienne aboie un certain nombre de syllabes qui sont enregistrées indépendamment par Dori et White. La réponse étant terminée, White indique à Ruth Petersen de glisser à Happy une friandise sous la porte, puis de passer au second mot, et ainsi de suite. La chienne reçoit une friandise quelle que soit la réponse, juste ou fausse.

Les résultats furent les suivants: 25 succès sur 50 essais ou 50 p. 100 de succès alors que le hasard ne permettait que 20 p. 100 de succès, soit 1 chance sur 5.

Heidi

Heidi, femelle teckel de quatre ans, appartenait à Barbara et Nancy Phipps de London, en Ontario, au Canada. Barbara, ayant lu qu'un homme avait enseigné le calcul à son fox, se tourna vers Heidi et lui demanda de compter jusqu'à trois. À sa grande surprise, Heidi aboya trois fois. La chienne eut autant de succès avec d'autres nombres et fut vite dressée par ses deux jeunes propriétaires à donner des petits spectacles locaux, même à la télévision (le *Ed Sullivan Show*).

D'ordinaire, Barbara demandait à Heidi d'aboyer le nombre auquel elle pensait; Heidi aboyait puis recevait une récompense. Résultat: environ 80 p. 100 de succès! Deux étudiants de l'Université de Western Ontario étudièrent la question et obtinrent un résultat significativement différent quand la personne qui donnait la friandise connaissait la réponse et quand elle ne la connaissait pas.

Rhéa White testa la chienne et décida d'abord d'attendre pour donner la friandise que le résultat soit enregistré. Ainsi la récompense n'était pas une indication d'arrêter d'aboyer et cela n'influençait pas le résultat.

Après différents essais de méthodes, le choix s'arrêta sur le protocole expérimental suivant: Barbara se tenait en haut ou en bas d'un escalier, Heidi en bas ou en haut de façon correspondante, et elles ne se voyaient pas. Barbara prenait un jeu de cartes, en choisissait une au hasard; sur cette carte se trouvaient des nombres de 1 à 10 qui n'étaient pas dans l'ordre. Rhéa White se trouvait avec la chienne et enregistrait la réponse qu'elle ne pouvait pas connaître d'avance. Après enregistrement, elle appelait Barbara, lui demandait le résultat et récompensait la chienne si la réponse était correcte.

Au hasard, on aurait obtenu 10 p. 100 de résultats corrects. Heidi obtint, dans la première série de 23 essais, 9 succès, soit 39 p. 100. En présence d'un autre témoin, le Dr John Paul, membre du département de psychologie de l'Université, les résultats tombèrent à 7 succès sur 36 essais, soit 19 p. 100. Après le départ du Dr Paul, Heidi eut encore 2 succès sur 10 essais. Au total, 9 succès sur 46 essais, soit 19,6 p. 100, ce qui n'est pas significatif (et donc équivaut à une possibilité de réponse au hasard).

Rhéa White retourna au Canada en décembre 1957 (résultats de 18 succès pour 90 essais, soit 20 p. 100) et en juillet 1958 (4 succès sur 40 essais, soit 10 p. 100). En 1962, le professeur de sciences économiques et politiques de l'Université de Western Ontario, le Dr W. E. Mann, testa Heidi et Barbara: quand Barbara était de l'autre côté d'une porte, Heidi répondait au hasard; en présence de Barbara, Heidi répondait plus souvent correctement, mais le Dr Mann constata des mouvements quasiment imperceptibles des bras de Barbara et conclut que Heidi, devenue âgée à cette époque, ne travaillait plus par PES mais avec des signes de sa maîtresse.

Cookie

Cookie, une femelle cocker de 11 ans appartenant aux Duggan, de Davensport, dans l'Iowa, fut dressée par ses propriétaires à l'*assis, couché, danser, sauter, ramper,* etc. Ensuite, Mme Duggan décida de lui apprendre à aboyer les chiffres de 1 à 10, puis à additionner des chiffres identiques (2 + 2 = 4, par exemple). Elle demanda alors à Cookie d'additionner 1 et 3 et la chienne aboya quatre fois. Ensuite, Mme Duggan se rendit compte qu'il lui suffisait de penser à un nombre pour que Cookie l'aboie aussitôt.

Rhéa White décida de tester Cookie dans des conditions scientifiques; pour cela il fallait séparer l'*émetteur* (Mme Duggan) et le *récepteur* (Cookie) contrôlé par l'*expérimentateur* (Rhéa White). Après divers essais pour déterminer ce qui convenait le mieux à la chienne, les conditions de travail établies furent les suivantes: Mme Duggan se trouvait dans une pièce dans laquelle la musique jouait très fort, Cookie et White dans une autre pièce; la porte était ouverte mais une table était basculée en une barricade d'environ 60 cm de haut empêchant Cookie de rejoindre sa maîtresse; les deux pièces étaient dans l'obscurité.

Rhéa White possédait un jeu de 100 cartes sur lesquelles se trouvait un numéro de 1 à 10; elle mélangeait les cartes, tirait une carte sans la regarder, la montrait par l'espace libre de la porte à Mme Duggan en l'éclairant avec une lampe de poche; Mme Duggan appelait Cookie et lui demandait d'aboyer le nombre qu'elle avait vu sans l'avoir dit. Cookie aboyait, Rhéa enregistrait le nombre aboyé, regardait la carte, contrôlait et, seulement si c'était une réussite, donnait une friandise à Cookie. Après une série de 10 cartes, on faisait une pause.

Les conditions expérimentales varièrent légèrement. Dans la première série, des lumières tamisées furent conservées dans la pièce de Cookie. On obtint comme résultats 28 succès sur 50 essais, soit 56 p. 100 de succès (le hasard aurait donné 10 p. 100).

Lorsque les deux pièces étaient dans l'obscurité, à l'exception d'une lampe de chevet allumé dans la pièce de la chienne, on obtint comme résultats 28 succès sur 60 essais, soit 47 p. 100 de succès.

Avec les deux pièces dans l'obscurité totale, on obtint comme résultats 9 succès sur 20 essais, soit 45p. 100 de succès.

Les tentures beiges laissant encore passer de la luminosité furent remplacées par des tentures sombres. Vingt essais furent réalisés en présence de deux visiteurs avec neuf succès, soit 45 p. 100. Ensuite, après le départ des visiteurs, 50 essais supplémentaires furent tentés avec 15 succès, soit 30 p. 100 de succès.

Le Dr Rhine, contacté par téléphone, suggéra qu'une tenture soit pendue dans l'ouverture de la porte. On obtint comme résultats 12 succès sur 50 essais, soit 24 p. 100 de succès.

Le Dr Rhine assista à la série expérimentale suivante, assis à gauche de Rhéa White; ce jour-là, les voisins déménageaient, il y avait beaucoup de bruit inhabituel et Cookie était très agitée. On obtint comme résultats 1 réussite sur 10 essais, soit 10 p. 100 (pas mieux que le hasard).

Au cours de la série suivante, le Dr Rhine était assis dans le salon. On obtint comme résultats 6 sur 30 ou 20 p. 100 correct, ce qui n'est pas suffisamment significatif. Nouvel essai, 3 sur 20 ou 15 p. 100 de succès.

Le total des tests avec tenture dans l'ouverture de la porte est de 22 succès sur 110 essais, soit 20 p. 100 de succès, ce qui est significatif.

Encore une fois, pour les lecteurs qui ne sont pas habitués aux statistiques, il faut savoir que 20 p. 100 sur 30 essais, lorsque la réponse correcte a 1 possibilité sur 10 d'être découverte au hasard, ce n'est pas très différent de ce que l'on pourrait obtenir en répondant par hasard, alors que 20 p. 100 sur 110 essais est significatif.

Cas significatifs?

Discutons maintenant des quelques cas dans lesquels il y a eu des résultats significatifs. Les chiens ont-ils répondu sous l'influence d'une PES? Ou bien ont-ils perçu par la vue, l'audition ou le toucher (les principaux sens requis pour la communication intellectuelle) des signes quasiment imperceptibles pour nous, humains, mais tout à fait évidents pour eux, chiens?

Les méthodes mises en œuvre ont éliminé ces possibilités autant que faire se peut: les portes fermées, la distance entre *émetteur* et *récepteur,* l'obscurité, la musique ou la radio à fort volume, etc., sont des facteurs qui garantissent l'inefficacité des sens de la communication. Sauf, peut-être, les ultrasons. En effet, aucune précaution n'a été prise contre l'émission d'ultrasons. Mais cette émission n'est pas dans la gamme des sons produits par les humains, donc, pensons-nous, nous pouvons avec raison éliminer cette hypothèse.

Une autre possibilité est que la réponse soit donnée par la modulation, la façon dont la question est posée par l'*émetteur* à l'animal. L'émetteur ayant vu la carte-question demande au chien de répondre; la formulation est toujours la même, la séquence des mots est identique d'une fois à l'autre; mais la façon dont la demande est prononcée ne peut-elle pas influencer le chien?

C'est possible, peu probable, mais possible; c'est une hypothèse qu'il faut garder à l'esprit.

Parmi les hypothèses s'opposant à la PES, il faut encore noter le moment de la distribution de la friandise: donnée trop tôt, la friandise indiquerait l'arrêt de l'aboiement et faciliterait une réponse correcte. Heureusement, cette variable a été contrôlée dans le cas de Cookie et de Heidi.

Dernière hypothèse, la personne qui enregistre les réponses (dans ce cas, Rhéa White) témoigne de PES, et non pas le chien, et elle interprète inconsciemment l'aboiement du chien d'une façon qui l'arrange personnellement. Pour éviter cette variable, il faudrait un enregistrement automatique, mécanique, non humain, des réponses. L'enregistrement, ce fut le cas pour Happy, a parfois été réalisé par deux personnes qui confrontaient leurs résultats. Quand les deux «enregistreurs» donnaient la même réponse, on a estimé que le nombre d'aboiements de Happy n'était pas équivoque. Ce fut le cas dans 196 essais avec un taux de succès de 63 p. 100. Dans 77 essais, les 2 «enregistreurs» n'étaient pas d'accord. Dans ce cas, Rhéa White notait la bonne réponse dans 49 p. 100 des cas et Dori dans 29 p. 100 des cas. Rappelons que Happy avait 1 chance sur 5, soit 20 p. 100, de tomber juste par pur hasard.

En somme, Happy semblait répondre avec plus de justesse que Rhéa White ou Dori.

Une remarque intéressante doit être ajoutée: les résultats varièrent fortement dans le temps, augmentant avec l'apparition d'une nouveauté (une nouvelle personne, par exemple) et baissant en cas de répétition similaire. D'autre part, le chien recevait toujours une friandise. Si le résultat était influencé par la friandise, ou par des signes perceptibles par un des sens *normaux*, peut-être ne varierait-il pas avec des modifications psychologiques telles que la lassitude de la répétition ou l'intérêt de la nouveauté?

Ce déclin des résultats a souvent été constaté avec la perception extrasensorielle; la nouveauté entraîne des résultats très positifs, la répétition fait progressivement baisser le score à un niveau proche du hasard.

Heidi, par exemple, accompagnait ses aboiements d'une agitation de la queue; la perte d'intérêt supprima les mouvements de queue et provoqua une diminution des succès. Happy avait aussi comme réponse des mouvements corporels, aussi clairs que ses aboiements; il n'y eut dans son cas aucun déclin ni du taux de succès ni des mouvements corporels.

D'autres contrôles ont été réalisés pour diminuer la possibilité que soient employés des signes perceptibles par le chien. Pour éviter que la réponse ne puisse être induite par la voix de la propriétaire demandant au chien de répondre, Heidi fut conditionnée à répondre une fois la carte retournée et tapée sur la table. Sur 63 essais, dans lesquels il y avait une probabilité de 1 sur 8 de répondre au hasard, elle obtint

24 succès. Par comparaison, au cours de 63 essais où Heidi devait aboyer la réponse après demande verbale, elle obtint 18 succès, ce qui est aussi significatif pour l'un que pour l'autre.

Que conclure?

Que conclure de ces expériences? Le chien a-t-il des capacités extra-sensorielles? Ou n'en a-t-il pas? Ces chiens, extraordinaires s'il en est, répondent-ils à des signaux que nous ne percevons pas et que nous émettons inconsciemment, ou bien disposent-ils d'autres sens, encore inconnus à ce jour?

La recherche d'objets cachés

Ce n'est plus un secret pour personne, le chien sert aujourd'hui dans des métiers qui utilisent ses sens extraordinaires et, surtout, sa sensibilité olfactive, à la recherche de personnes disparues ou ensevelies, que ce soit sous les décombres d'un immeuble à la suite d'un tremblement de terre ou sous des mètres cubes de neige et de rochers lors d'une avalanche, au contrôle de la présence de drogue (à travers des emballages hermétiques et odoriférants), etc.

Chien détective

Les brigades canines existent partout dans le monde et les chiens participent en équipe au travail des policiers, des gendarmes et des soldats.

L'un des chiens les plus connus à son époque fut Nick Carter, un bloodhound absolument dévoué à son travail qui permit l'emprisonnement de quelque 600 criminels. Son propriétaire et éducateur était le capitaine Volney Mullikan. Nick pouvait retrouver une piste vieille de quatre jours et la suivre dans les montagnes et les rues du Kentucky ou de la Virginie occidentale, malgré l'entrecroisement de centaines d'autres traces.

Une autre star fut Dox, un berger allemand dressé par le sergent de police Giovanni Maimone, qui était capable de défaire des nœuds compliqués et de décharger une arme à feu sans tirer. Dox gagna le championnat européen des chiens policiers en 1953 et défendit son titre plusieurs années de suite avec succès. À l'âge de 14 ans, il fit les comptes: 4 médailles d'or, 27 médailles d'argent et... 7 cicatrices de blessures par balles reçues dans son pays natal, l'Italie.

Sa mémoire était fantastique; un jour, entrant dans un restaurant de Rome, le berger sauta sur un homme paisiblement occupé à manger un plat de spaghettis; l'homme était un fugitif qui avait échappé à Dox six ans auparavant.

Ses exploits remplirent les colonnes des journaux: il sauva la vie d'un enfant en le poussant hors de la trajectoire d'une voiture lancée à toute allure; il rattrapa un voleur après une course de 5 km sur trois pattes, la quatrième ayant été fracturée par une balle; il retrouva un skieur perdu dans les montagnes de Subiaco après l'échec d'un peloton d'hommes et de chiens; etc.

Dox fut capable de résoudre des énigmes à lui tout seul: après un vol dans une bijouterie, il suivit une piste jusqu'à un grenier où un homme arriva à convaincre la police de son innocence. Dox, suivi de Maimone, retourna à la bijouterie et découvrit un bouton qu'il donna à son maître, puis il ressortit de la bijouterie, remonta la piste jusqu'au grenier. Il renifla une armoire, l'ouvrit, enleva un manteau d'un porte-manteau et le plaça aux pieds de son maître, montrant la place du bouton manquant. Le suspect passa aux aveux.

Détection extrasensorielle?

Si l'on empêche le chien d'avoir accès à l'un de ses cinq sens, arrive-t-il encore à découvrir des objets cachés?

C'est le sujet de l'enquête réalisée par J. B. Rhine et publiée en 1970 dans *The Journal of Parapsychology* sous le titre «Location of hidden objects by a man-dog team». Cet article comprend 16 pages et doit donc être résumé dans ses grandes lignes.

L'expérience fut conduite en 1952 par le laboratoire de parapsychologie de la Duke University à la demande, et sous contrat, des Laboratoires de recherche et de développement en ingénierie de Fort Belvoir, en Virginie.

Le délai entre la réalisation des tests et leur publication est dû à un *top secret*; la liberté de publication ne fut donnée qu'en 1969.

Les expériences furent réalisées sur une plage déserte de Californie, au nord de San Francisco. Plusieurs observateurs étaient présents: un expert en dressage canin (William Johns), un membre du laboratoire commanditaire (Wilbert W. Toole) et un chimiste de l'Institut de recherche Stanford (Dr Luman Ney). Les deux chiens étaient Binnie et Tessie, deux bergers allemands dressés à chercher des objets enfouis dans le sol.

Des mines (sans détonateur) furent cachées à environ 12 cm de profondeur dans le sable par un expérimentateur qui, ensuite, ne participa pas à la recherche. Le sable fut égalisé au-dessus des mines.

Une série préliminaire de 120 essais avec les mines sous le sable sec et sous le sable lavé par les vagues donna 51,7 p. 100 de résultats positifs (résultat espéré par le fait du hasard: 20 p. 100). Cette série d'essais permettait aux chiens de découvrir la mine à l'aide de leurs sens normaux.

Pour empêcher l'usage des sens ordinaires, les mines furent alors placées sous plusieurs centimètres d'eau (de 18 à 35 cm); le vent provoquait des vaguelettes empêchant toute visibilité et une légère pluie ajoutant aux conditions difficiles. Pour tester les remous de l'eau, un produit crémeux fut ajouté à l'eau et la dérive fut de plus de 1 m en quelques minutes. L'auteur fut donc rassuré sur l'absence de rémanence d'odeur (ce qui, personnellement, ne m'aurait pas du tout rassuré, par contre[14]).

Pour raccourcir ce long article, venons-en aux conclusions: 203 essais furent réalisés, avec 79 succès, soit 38,9 p. 100.

Un test de contrôle après ces séries d'essais fut réalisé sur sable sec et les chiens trouvèrent les mines dans 70 p. 100 des cas.

Les tests sous l'eau montrent que les sens ordinaires ont été fortement perturbés par l'eau. La conclusion de Rhine est que la perception extrasensorielle a probablement été utilisée. Si c'était le cas, qui serait responsable de la PES? Les chiennes? L'éducateur-expérimentateur? Ou le couple chienne-expérimentateur?

Les deux chiennes ont obtenu des résultats spectaculaires: Tessie 42 p. 100 et Binnie 36 p. 100. Est-ce parce qu'elles avaient des capacités identiques? Ce serait exceptionnel. Est-ce parce qu'il existait un effet de stimulation dans le couple maître-chien? C'est une question sans réponse, mais qu'il faut garder à l'esprit.

Conclusion

Il est impossible de conclure objectivement à la présence de PES dans la recherche de choses cachées, de personnes ou d'objets. Mais il serait incroyable que ce ne soit pas le cas.

La conclusion la plus intéressante consisterait sûrement à dire que ces recherches constituent un travail d'équipe et que le lien entre maître et chien est primordial afin de faire valoir les qualifications de l'un comme de l'autre. On pourrait exprimer en une formule mathématique que la somme des qualités du couple maître et chien est supérieure à la somme des qualités du maître et des qualités du chien: $(m + c) > m + c$.

Expérimentations de clairvoyance

Après les expériences de Rhéa White, décrites dans un chapitre précédent, et avec lesquelles il était difficile de conclure à la présence d'une perception extrasensorielle chez le chien, voici les expériences les plus prometteuses et les plus rigoureuses, réalisées dans les années cinquante. George H. Wood et Rémi J. Cadoret ont publié en 1958 les résultats d'un test de clairvoyance. Voici ce qu'ils écrivaient.

Wood et Cadoret

«Pendant des années, de nombreuses anecdotes étonnantes ont circulé, traitant des aptitudes de certains animaux — généralement des chiens et parfois des chevaux — à apporter des réponses intelligentes à une variété de questions. Ce type de comportement est très complexe et a engendré la question suivante dans l'esprit de nombreuses personnes: ces animaux *peuvent-ils penser?*, dans le sens utilisé par ce terme vague pour décrire certaines activités humaines telles que le calcul mathématique, la lecture ou même l'élaboration d'une conversation.

«Le cas habituel est un animal qui a appris à s'exprimer par des *coups de patte* ou des *aboiements.* Par exemple, un code peut être enseigné à l'animal de telle façon qu'un aboiement signifie «oui» et que deux signifient «non». Ou bien l'animal peut pointer dans la direction d'une lettre ou d'un chiffre dans un rang alphabétique ou numérique. Certains rapports de ce type de performances incluent la résolution de problèmes arithmétiques complexes ou l'orthographe d'un mot.

«Les explications suggérées varient grandement:

1. Les animaux sont capables de réaliser les opérations mentales complexes que nécessitent la lecture, le calcul, etc., et peuvent signaler la réponse appropriée.
2. Des indications sensorielles sont données consciemment ou inconsciemment par la personne qui travaille avec l'animal. C'est l'hypothèse habituelle des personnes qui étudient le comportement animal.
3. Certaines formes de PES sont utilisées par l'animal pour résoudre le problème.

«Cette dernière hypothèse a été suggérée par une série de cas dans lesquels l'animal semble répondre correctement même si les conditions expérimentales éliminent la possibilité d'indications sensorielles. Par exemple, les expérimentations de Bechterev, qui travailla avec des chiens dressés, et celles de Rhine, qui étudia le cas d'une jument, Lady, donnent un support stable à l'élément extrasensoriel dans la performance de ces animaux. De plus, les récentes expériences réalisées par Osis[15] suggèrent une relation psi entre l'expérimentateur et les chats utilisés dans les tests, ainsi que celles d'Osis et de Foster, qui ont tenté d'isoler un facteur PES chez le chat.

«Il est à douter qu'une seule de ces hypothèses, par elle-même, suffise à expliquer tout le comportement complexe exprimé par ces animaux. Il est possible, cependant, de définir des conditions expérimentales suffisantes pour déterminer l'étendue de l'utilisation de la PES lorsque l'animal est autorisé à travailler dans des conditions naturelles. Par cela nous voulons dire que, dans des conditions de travail habituelles avec un animal qui doit indiquer des réponses, il est possible de mettre au point un test, afin qu'on obtienne un résultat indépendant de la *chance,* qui exigerait la PES soit de la part de l'animal, soit de la personne qui travaille avec lui.

«C'est le but de cet article que d'exposer des expériences avec des chiens qui expriment ce comportement, préalablement décrit dans des rapports de calculs arithmétiques et d'orthographe, par exemple. Nous allons présenter des évidences quantitatives montrant que la PES peut expliquer certains aspects du comportement de ces animaux[…]

Chris

«Voici en quelques mots la biographie du chien utilisé: Chris est un chien croisé de neuf ans appartenant à G. H. Wood, l'un des auteurs, qui obtint le chien en 1949 à l'âge de un an. L'hérédité de Chris est incertaine, mais on pense généralement que sa mère était un beagle.»

Joseph Wylder en révèle un petit peu plus sur Chris: la famille qui possédait Chris avant les Wood comprenait de nombreux enfants. C'était un chien hyperactif, qui courait dans la maison comme un fou. Marian et George Wood (du Rhode Island) pensèrent que le chien manquait d'affection et qu'il se calmerait si on lui donnait un foyer où il aurait plus d'attention et plus d'affection. George Wood était chimiste, directeur de recherche dans une entreprise textile, et Marian, son épouse, était une artiste et passait le meilleur de ses journées à la maison à donner des leçons de peinture. Le chien était si actif qu'un jour George Wood dit: «Ce chien agit comme un fou. S'il avait été un enfant, on l'aurait emmené chez un psychiatre.»

Wood et Cadoret continuent ainsi leur article: «Le chien ne montra pas de comportement anormal jusqu'en août 1953. À cette époque, des visiteurs amenèrent chez les Wood un chien dressé à indiquer les nombres de 1 à 14 en donnant un nombre équivalent de coups de patte. Après la démonstration du chien, le propriétaire, se tournant vers Chris, présent durant la séance, lui demanda: "Combien font 2 + 2 ?" Chris, de façon spontanée, donna quatre coups de patte. Le soir même, à son retour du travail, Wood répéta la question et reçut une réponse identique. En quelques jours, le chien apprit à indiquer les chiffres de 1 à 10 et semblait même pouvoir répondre à de simples problèmes arithmétiques. Au cours des quelques mois suivants, Chris apprit à indiquer les nombres en pointant la patte sur un chiffre et à indiquer les lettres de l'alphabet par un code numérique. De cette façon, il pouvait répondre à des problèmes arithmétiques complexes et à des questions exigeant l'orthographe de mots.

«En général, la méthode de réponse de Chris était de donner des coups de patte sur le bras de la personne qui travaillait avec lui. Après chaque réponse, il recevait une récompense sous forme de nourriture: un petit morceau de viande ou un biscuit pour chien. Il a travaillé avec succès non seulement avec son maître mais aussi avec au moins huit personnes en l'absence de son maître.

«En quatre ans, Chris s'est présenté environ 60 fois en public, entre autres dans plusieurs spectacles télévisés (notamment le *Gary Moore Show*).

«Sa performance habituelle dure généralement une heure; elle comprend la résolution de problèmes mathématiques impromptus et la réponse à des questions posées par son maître ainsi que par des gens de l'auditoire. Toutes les performances ont été réalisées gratuitement au bénéfice d'Églises diverses, de groupes de charité et d'organismes sociaux. En général, la réponse à toute question ou à tout problème était connue d'une personne présente au moment où le chien répondait, mais des performances occasionnelles et exceptionnelles ont soulevé la question de la PES de ce chien. Par exemple, lorsque la réponse n'était pas connue des personnes présentes. À une occasion, il y a plusieurs années, Chris indiqua le résultat correct et d'autres détails exacts d'une partie de base-ball qui venait d'être jouée; personne dans la salle, probablement, ne pouvait connaître ces résultats au moment où le chien répondit. Dans d'autres cas, une seule personne dans un auditoire nombreux connaissait la réponse à la question. Par exemple, au cours d'un congrès tenu au Rhode Island et auquel participaient des gens de tous les coins des États-Unis, une personne d'un État de l'Ouest, qui se trouvait à 12 m du chien dans une pièce faiblement éclairée, au milieu de 49 autres personnes, demanda à Chris le nombre de ses enfants et la somme de leurs âges; Chris indiqua les réponses correctes à son maître.

«[...] Wood fut contacté par le Laboratoire parapsychologique de la Duke University; à la suite de ce contact, il entama des expériences de

PES avec Chris à l'aide de cartes PES et de cartes ordinaires. Wood conduisit ces tests préliminaires de façon simple, demandant au chien d'identifier la carte du dessus d'un paquet de cartes PES retournées (face cachée). Dès que l'animal indiquait son choix par un code numérique (par exemple: 1 coup de patte = cercle, 2 = croix, etc.), la carte était retournée et le résultat inscrit comme *succès* ou *échec*. George Wood rapporta que, à certaines occasions, le chien obtenait 15 *succès* sur 20 essais avec les cartes PES. C'est un résultat excellent[...]. Cependant, comme ces tests étaient exploratoires et que les conditions n'étaient pas strictement contrôlées, aucune conclusion ne put être tirée sur la manifestation de la PES.

«Ces tests furent arrêtés en raison du manque de temps libre de Wood et des demandes externes qui conduisaient le chien vers des démonstrations plus spectaculaires[...]

«[...] Le Laboratoire reprit contact avec Wood et, en septembre 1957, Rémi J. Cadoret, membre du Laboratoire, visita les Wood. Il observa la façon dont le chien répondait aux questions et découvrit que, au cours des tests réalisés trois ans auparavant, des résultats hautement positifs avaient été obtenus dans des tests de clairvoyance avec les cartes PES. Il semblait sage de recommencer avec ces tests de clairvoyance, qui possédaient l'avantage d'un contrôle aisé et rapide des conditions PES que d'autres tests n'auraient pas permis. Au moment de sa première visite, plusieurs tentatives exploratoires furent réalisées[...].»

En général, le chien était questionné par son maître au sujet d'une carte particulière et le chien répondait en donnant de un à cinq coups de patte correspondant au symbole PES. Après la plupart des questions, le chien recevait une récompense sous forme de nourriture.

«... Cadoret établit une série de tests PES que Wood accepta d'entreprendre quand Cadoret serait parti. Au début, maître et chien travaillaient de façon informelle et pouvaient voir le dos des cartes. Par exemple, une méthode consistait à poser 10 cartes PES, face cachée sur le sol, et à demander au chien de les identifier une par une. Graduellement, on prenait de plus en plus de précautions contre les indications sensorielles données par les cartes (notamment en insérant les cartes dans des enveloppes individuelles et opaques). Les réponses données par le chien étaient immédiatement notées par Wood. Toutes les réponses étaient consignées dans un livre par ordre chronologique. L'expérimenteur contrôlait l'ordre des cartes à la conclusion de chaque série[…] et le paquet entier était mélangé avant la série suivante d'essais.»

Des résultats significatifs ont été obtenus par Wood dans différentes conditions (dos des cartes exposés ou cartes cachées dans des enveloppes opaques). Il ne semble pas que les résultats diminuaient lorsque les cartes étaient cachées dans des enveloppes et donc lorsque les informations sensorielles données par ces cartes étaient éliminées.

«Lorsqu'il sembla, après plusieurs mois de tests, que les résultats élevés pouvaient être maintenus malgré l'élimination des informations sensorielles dues aux cartes, Cadoret proposa une série spéciale de tests à réaliser par Wood. Cette série, qui eut lieu entre le 4 et le 16 décembre 1957, consistait en 20 essais rassemblés par une méthode standard avec des précautions particulières dans la préparation de l'ordre et des notes d'enregistrement. Les cartes étaient scellées dans des enveloppes individuelles opaques. Deux séries par soirée furent effectuées.

«Les cartes furent mélangées puis insérées dans les enveloppes (sans les regarder), qui furent mélangées elles aussi en l'absence de Chris et de son maître. Les paquets furent préparés la nuit précédant le test et gardés dans des boîtes jusqu'au moment du test; à ce moment le paquet sorti de la boîte, coupé par Wood, attaché par un élastique et placé sur le sol devant le chien. L'expérimentateur notait chaque réponse dans son livre. La troisième personne présente pendant ces tests (la femme de Wood, un ami ou Mlle Rosemary Goulding) sortait les cartes des enveloppes et énonçait les symboles à Wood qui les notait dans son livre. […] De cette manière, une ou deux séries (d'habitude deux) étaient rassemblées jusqu'à ce que le nombre de séries déterminé d'avance soit atteint. Les résultats de cet ensemble de tests sont hautement significatifs[…].

«En octobre 1957 et en janvier 1958, Cadoret réalisa des visites pendant 10 jours en tout pour tester Chris. Il agissait essentiellement comme observateur, manipulant les cartes de temps à autre mais sans travailler directement avec l'animal. Les résultats furent généralement inférieurs à ceux obtenus sous l'effet du hasard[…]

«Les résultats généraux de l'ensemble des expériences montrent qu'il y a PES, et cela sous des conditions expérimentales englobant une forme d'interaction homme-chien.

«Ces expériences ont mis l'accent sur la question à laquelle la parapsychologie tente de répondre depuis son entrée dans le domaine scientifique: "Quels sont les rôles du sujet et de l'expérimentateur (ou du *récepteur* et de l'*agent)* dans les processus de PES?" Dans la situation présente, quel est le rôle joué par le chien et celui joué par l'homme? Dans les tests PES classiques, la question de savoir qui *produit* une PES n'a jamais été clairement définie, du moins dans les cas de télépathie. Quand seule la clairvoyance peut opérer, le rôle du sujet semble déterminant, même si là aussi l'expérimentateur peut avoir un effet indirect sur les résultats.

«Pour aiguiser notre discussion sur cette question importante, nous allons brièvement discuter des interprétations principales de cette expérimentation et suggérer les voies possibles pour les différencier dans des expériences ultérieures[…]

1. La personne qui travaille avec le chien est le sujet PES et avertit le chien par la voie sensorielle (mais inconsciemment).
2. Le chien lui-même initie les réponses d'une manière similaire à ce que ferait un humain doué de PES.

«La première hypothèse semble favorisée par la différence marquée dans le signe de la déviation entre les résultats obtenus par Wood travaillant seul ou avec des observateurs autres que Cadoret et ceux obtenus avec Cadoret comme observateur. Bien que la cause de ces résultats divergents ne puisse être établie formellement, il est intéressant d'observer que le *ratage-psi* [*psi-missing* ou déviation négative par rapport au résultat attendu si seul le hasard entrait en jeu] a été observé dans des conditions où le sujet est sous l'influence d'une contrainte mentale en raison du caractère "officiel" des tests.

«L'évidence qui favoriserait la seconde hypothèse vient de ce que trois personnes ont travaillé les tests de clairvoyance avec le chien (quoique le propriétaire était dans la même pièce). Cela comprend huit séries de tests et la déviation est de +8; nous ne pouvons pas tirer de conclusion à ce sujet. Cependant, s'il s'avérait que le chien obtienne des succès significatifs avec un certain nombre de personnes différentes, cela soutiendrait la seconde interprétation, particulièrement si au cours de tests contemporains les expérimentateurs eux-mêmes ne pouvaient pas montrer l'existence des PES. Encore faudrait-il démontrer que les humains n'ont pas moins de motivation à obtenir des PES seuls qu'en présence du chien. Cela s'avérerait en fait très difficile à prouver.

«Une autre approche serait de dresser le chien à répondre à une machine (taper de la patte sur un bras en bois par exemple, qui ne pourrait lui donner d'aide sensorielle pour trouver la réponse). Cela faciliterait grandement l'interprétation des résultats.

«Nous espérons que d'autres travaux semblables jetteront de la lumière sur le fonctionnement de la PES dans des cas animaux et nous permettront de mieux comprendre le processus psi chez les humains.»

Qu'est devenu Chris? Joseph Wylder nous le raconte. Les Wood n'ont jamais voulu que les capacités psi (et la notoriété) de Chris interfèrent avec les plaisirs ordinaires de la vie d'un chien. Il vagabondait volontiers avec un berger allemand et ignorait orgueilleusement un caniche dont il disait (dans le langage codé qu'il avait appris) qu'il était «D.U.M.B.» («imbécile»). Il avait aussi la sale habitude de pourchasser les voitures malgré l'insistance des Wood à l'arrêter. S'il partait vagabonder et qu'au retour Marian lui demandait s'il avait chassé les voitures, Chris répondait: «Y.E.S.» («oui»).

En 1959, il souffrit de pathologie cardiaque et décéda quelques mois plus tard.

Il se trompa d'un jour dans la prédiction de son propre décès.

Pratt (suivant R. L. Morris, 1977) a écrit, en 1966, qu'il pensait que Chris répondait en fait à des signes très subtils de Wood, qui aurait été le vrai sensible, le vrai responsable d'une PES, en fait, le vrai sujet psi. Cela affaiblit-il la présence d'une PES chez le chien?

À chacun de juger!

Le pistage psi

Peter était la joie de M. Jobson, officiel britannique en fonction en Haute-Égypte en 1901. Jobson emmenait avec lui son bull terrier dans tous ses voyages en train au Caire, un trajet d'une quinzaine d'heures. Jobson et Peter déménagèrent à Demanhour, à trois heures de train du Caire. Un jour, Jobson dut partir précipitamment pour le Caire et laissa Peter à la maison.

Le chien s'en alla à la gare, embarqua dans un train en direction du Caire. Là, il changea de quai et se retrouva dans un train pour la Haute-Égypte. Il débarqua et rechercha leur ancienne adresse. N'y trouvant pas Jobson, Peter se dirigea vers la gare. Il embarqua dans le train à destination du Caire, débarqua et fit la tournée de tous les points de ralliement de Jobson. Les amis lui demandèrent ce qu'il faisait là, et Peter, imperturbable, continua son chemin. Il reprit le chemin de la gare, attendit le bon train et embarqua pour Demanhour.

Jobson était à la maison et s'inquiétait de la disparition de Peter. Les deux comparses se retrouvèrent avec la plus grande joie.

Sherry Hansen nous garantit que Jobson et ses amis ont mené de sérieuses enquêtes quant aux trajets effectués par le chien.

Une étude de ce comportement bien particulier a été publiée dans *The Journal of Parapsychology* (volume XXVI) en mars 1962 sous la plume de J. B. Rhine et de Sara Feather.

«Le pistage mental regroupe les cas dans lesquels l'animal, séparé d'une personne ou d'un partenaire auquel il est attaché, suit le compagnon qui s'en est allé, dans un territoire totalement inconnu, et le fait dans un temps et dans des conditions qui ne lui permettent pas d'utiliser une piste sensorielle. Si de tels cas peuvent être découverts et que la distance est suffisante pour que la personne ou le partenaire ne soit pas retrouvé par accident, alors l'animal doit avoir été guidé par un mode de connaissance inconnu. Cela, évidemment, invoquerait l'hypothèse psi.

«Ces cas sont moins nombreux que les autres groupes (voir le chapitre sur l'anpsi), mais ce sont ceux qui permettent le moins d'hypothèses autres que l'hypothèse psi et, pour cette raison, ils offrent des démonstrations précises pour l'anpsi.»

Critères d'appréciation

Des critères d'appréciation ont été établis pour classer le matériel existant.

«1. *La source et la quantité d'informations.* La question principale est la fiabilité. Le rapport est-il honnête et sérieux? La considération d'un canular est-elle suffisamment rejetée? Évidemment, une première source d'information peut être inadéquate mais conduire à une autre plus sûre. À l'autre extrême, un premier rapport peut apporter une publicité non désirée et tarir la source d'information.

«2. *L'identification de l'animal.* Il y a deux grands groupes de caractéristiques, physiques et comportementales, qui permettent de conclure si l'animal est bien celui qu'il doit être. Les caractéristiques physiques sont dans la plupart des cas les plus distinctives. On doit tenir compte du sexe, de la taille, de la race, de la couleur et de l'état général. Les caractéristiques particulières de couleur et de longueur du poil, de taches spéciales, de couleur des yeux, etc., élargissent la base du jugement. Aussi, la valeur du cas est fortement augmentée s'il y a une caractéristique physique unique telle qu'une opération pratiquée par un vétérinaire, une cicatrice bien connue, une déformation évidente, un collier familier ou un tatouage. L'examen doit porter sur les rapports existant avant et après le voyage de l'animal. Les photographies, s'il y en a, doivent être utilisées au moment du jugement.»

Les caractéristiques comportementales ont une certaine valeur mais elles conduisent plus facilement à des erreurs de jugement. Ce qu'un chien ou un chat fait familièrement chez lui peut être réalisé par un autre chien ou un autre chat. Et pourtant, il y a des comportements si inhabituels qu'ils en sont convaincants, au moins pour les personnes qui y sont familiarisées. Un chien qui s'assied sur le siège arrière d'une voiture avec les pattes antérieures sur le dossier du siège avant, comme il le faisait auparavant, c'est un critère d'identification valable. Un chat qui, comme celui que l'on a perdu, saute sur le piano pour accompagner son partenaire humain en tapant sur les touches, montre lui aussi un comportement familier qui facilite son identification. Pour évaluer convenablement le comportement d'un individu, il faut une bonne habitude des caractéristiques animales afin d'en établir le caractère unique, et dès lors considérer qu'elle a une quelconque valeur indicative.

«3. *Les circonstances générales.* Il faut que les morceaux d'information donnés aient du sens[…]. Le temps entre la disparition et la réapparition est-il suffisamment long? L'animal arrive-t-il dans un état physique qui suggère un long voyage? Trouve-t-il la famille lui-même ou a-t-il été pris dans le voisinage? Son comportement au retour indique-t-il des signes de reconnaissance? Il faut comprendre aussi que l'animal peut avoir eu des expériences au cours de son voyage, notamment avoir été adopté ou avoir reçu un autre collier qu'il porte toujours à son retour. Ces circonstances sont importantes pour déterminer la validité d'un cas.

«4. *Les informations de support.* Dans certains cas, des affirmations peuvent provenir de témoins indépendants; dans d'autres, l'opinion experte d'un vétérinaire peut être une contribution importante; et dans d'autres encore, des faits de confirmation peuvent être fournis par des gens qui ont été en contact avec l'animal pendant son voyage [...].»

L'importance de ces critères dépend du nombre de cas disponibles (et lui est inversement proportionnelle au). Si le pistage mental était une activité quotidienne, on n'aurait guère besoin d'y consacrer même une seconde pensée. Mais comme il est très rare, cela vaut la peine de prendre le temps nécessaire pour confirmer tous les éléments et pour en voir les significations possibles, comme l'ont fait les premiers à déclarer des cas psi chez l'homme.

Limitations

La prise en considération d'un cas comporte plusieurs limitations. Les anecdotes historiques ne permettent aucune vérification et ne sont pas acceptables dans une étude scientifique: par exemple celle de César, un greyhound qui suivit son maître de Suisse à Paris (à la cour de Henri III) où ce dernier était parti en calèche trois jours auparavant, ou celle de Prince, un chien de race inconnue qui traversa la Manche pour se retrouver en France aux côtés de son maître britannique durant la Première Guerre mondiale.

«Lorsque tous les filtrages ont été réalisés, écrivent Rhine et Feather, la collection s'est réduite à 54 cas admissibles de pistage mental: 28 chez des chiens, 22 chez des chats et 4 chez des oiseaux [...].»

La première limitation est le manque de caractéristiques d'identification: dans ce groupe, il y a trois chiens et deux chats.

Lorsqu'on réduit la distance minimale à 30 milles (50 km), on perd encore 18 chiens, 11 chats et 1 oiseau.

Un troisième type de limitation est le laps de temps écoulé depuis l'événement: trois chiens et deux chats entrent dans cette catégorie.

On peut citer comme exemple le cas d'Old Tailor, chien de ferme dans le Tennessee, qui était un membre très important de la ferme parce qu'il savait manœuvrer le bétail. Le jeune F. s'en alla au collège à

Washington et Old Tailor montra des signes d'anxiété. Un matin (le jour de l'Action de grâces), il disparut de la ferme et réapparut à Washington. Ce fut alors au tour de son propriétaire, à la ferme, de se sentir déprimé et F. renvoya son chien à la ferme avec l'ordre qu'il avait l'habitude de donner au chien pour qu'il ramène les vaches à l'heure de la traite. Old Tailor retourna à la ferme. Une bien belle histoire! Mais les autres membres de la famille de F. (au moment de la narration, F. était retraité) étaient partis et personne n'a pu corroborer ses souvenirs.

Une quatrième limitation est la résistance des propriétaires à donner la totalité des informations. Il y a deux chiens dans cette catégorie. L'anecdote d'un chien bâtard, Wiggles, est un bon exemple. Il appartenait à un étudiant en droit de Pittsburgh et avait été laissé dans un refuge à Erie, en Pennsylvanie, lorsque la famille avait déménagé à Pittsburgh. Quelques mois plus tard, Wiggles fut retrouvée endormi sur le porche arrière de la maison, par le petit garçon de la famille, qui avait quatre ans. Mme R. coopéra volontiers à l'interrogatoire téléphonique et confirma l'histoire (qui était parue dans la presse), ajoutant que le chien était arrivé en très mauvais état et qu'il était mort quelques jours plus tard. Le chien avait répondu à son nom et très excité, avait léché la figure de l'enfant. Le chien n'était jamais venu à Pittsburgh quoiqu'il soit venu à Beaver County, près de Allegheny County, lorsque la famille vivait à Erie (ce qui aurait amené le chien à quelque 50 km de Pittsburgh). Cependant, le mari, M. R. avait été taquiné par des amis au sujet de cette histoire et, embarrassé, refusa de donner suite aux demandes d'information ultérieures qui lui furent adressées. Et son silence obstiné fit perdre de la qualité à ce cas.

Une cinquième limitation est que le cas n'offre qu'un ensemble de signes comportementaux pour son identification. Il y a deux chats et un chien dans ce groupe. Le chien s'appelait King, c'était un croisement de berger belge âgé de quatre ans. King disparut et ses propriétaires pensèrent qu'il avait été volé. Quelques mois plus tard, les B. et leurs deux fils de 14 et 16 ans déménagèrent de Sandpoint (Idaho) pour Richmond (Californie). Trois mois après, un matin, ils trouvèrent un chien qu'ils prirent pour King devant la porte de leur appartement. King montra une grande joie à revoir les garçons et eux étaient certains que c'était leur chien. Ses pattes étaient en très mauvais état lorsqu'ils le retrouvèrent.

Physiquement, le sexe, la couleur et la taille correspondaient; mais à part la cicatrice dont les garçons se souvenaient et qu'ils retrouvèrent sur sa patte, il n'y avait pas de marque particulière pour l'identifier. Son comportement était par contre plus caractéristique. Il avait l'habitude de voler le duvet qui couvrait le sofa quand personne n'était dans la pièce et il ne donnait la patte que de l'antérieure gauche. Dans la voiture, il s'asseyait sur le siège arrière avec les pattes avant sur les épaules du conducteur, se dressant de temps à autre pour fourrer son nez contre la joue de la personne. Quand Mme B. le caressait, il se levait et mettait ses pattes sur les épaules de sa maîtresse.

Pour les garçons qui jouaient avec le chien depuis qu'il était chiot, son comportement était familier et les petites réactions telles que son aversion pour les bruits sifflants et son habitude de coucher sa tête sur les genoux des garçons avaient pour eux une signification réelle. Cependant, les seules caractéristiques comportementales ont une faible valeur d'identification même si, dans le cas de King, deux autres membres de la famille (soit cinq personnes au total) ont reconnu le chien.

Ce cas ne peut pas encore être considéré comme une classification suffisante...

Il y a par contre quelques cas qui obtiennent un résultat élevé, principalement en raison d'un trait physique exceptionnel qui réduit grandement les erreurs d'identité [...].

On trouve dans ce groupe cinq chats: Smoky, Missy, Sugar, Sissy, Chat Beau[16], un pigeon, le fameux Pigeon 167, et un chien dont voici l'histoire:

Le cas de Tony est celui dans lequel le collier survécut au voyage et servit à identifier l'animal. C'était un petit chien croisé d'environ un an qui avait été élevé par la famille de L. M. Doolen, d'Aurora, en Illinois. En 1945, les Doolen déménagèrent à East Lansing, dans le Michigan et, pendant qu'ils se rendaient à destination, le chien fut reconduit dans la famille d'Aurora qui le leur avait donné. Le chien disparut le jour même et réapparut six semaines plus tard, faisant des cercles autour de M. Doolen qui parlait avec quelqu'un à une rue de son nouveau domicile. Lorsque l'attention de M. Doolen fut enfin attirée par le comportement du chien, il le reconnut et le ramena à la maison. Tous les membres de la famille, y compris les deux garçons qui avaient joué avec Tony, le reconnurent. Le chien portait le collier que M. Doolen avait lui-même fabriqué à la bonne dimension. Il avait fait le trou avec son couteau de poche, il s'en souvenait très bien. Mais sur le collier du chien se trouvait maintenant une étiquette et un numéro qui témoignait que le chien avait été enregistré dans un État voisin dans le sud. Tony était extrêmement ambitieux. M. Doolen, certain que c'était son chien, mais ne désirant aucune complication, jeta le collier, l'étiquette, etc. L'histoire fit son chemin dans la presse sans que la famille Doolen ne soit au courant: le pasteur de la paroisse la signala à un autre paroissien qui était éditeur.

M. Doolen écrivit à la famille d'Aurora où il avait laissé le chien et apprit alors le départ précipité du chien; la famille d'Aurora était incrédule et fit le voyage à East Lansing pour voir le chien. Le rapport montre que tous étaient tout à fait convaincus de l'identité de Tony.

En plus de ce collier particulier, Tony avait des traits physiques caractéristiques. D'une part, sa queue mal coupée. [...] De plus, sur son pelage noir, il y avait cette ligne blanche presque invisible qui courait de son menton jusqu'au sternum. Il était manifestement un chien croisé mais, avec cette touffe de poil qui poussait au bout de sa queue, il ne pouvait pas être confondu avec un autre chien bâtard. Au plan comportemental, il se faisait facilement des amis et montrait son affection d'une façon tranquille. Il sembla à J. B. R. (l'un des auteurs de l'article), après une visite aux Doolen, que Tony n'aurait pas été oublié par ses propriétaires et ses compagnons de jeu au cours des six semaines de séparation et qu'ils n'auraient pu le con-

fondre avec aucun autre chien. Ajoutez à cela la présence du fameux collier, et la question ne fait aucun doute à M. Doolen (qui est directeur commercial). L'homme d'Aurora qui confirme l'identité du chien est un banquier.

Puisque si peu d'animaux qui sont séparés de leurs compagnons humains se débrouillent pour les retrouver, cela suffit à montrer qu'un sens indéterminé est concerné [...]. La capacité d'orientation n'est pas la seule variable en cause. Des facteurs de motivation et l'aptitude à surmonter les difficultés inhérentes à la subsistance, au voyage, et aux rencontres inamicales ainsi que l'aptitude à résoudre des problèmes de territoire sont importants pour le succès de l'animal, tout comme le sont la disposition et l'intelligence générale de l'animal.

C'est ainsi que se termine l'article de Rhine et Feather. Leur étude est très complète et scientifique même si elle ne démontre pas de façon concluante le pistage psi. En effet, on n'a aucune idée de la valeur statistique de cette étude: combien d'animaux sont-ils partis à la recherche de leurs propriétaires et ont échoué en route?

Les exemples donnés ici sont repris de la documentation anglo-saxonne; il n'y a pas eu d'étude comparable en français; c'est pour cette raison que nous avons jugé intéressant de vous transmettre ces faits.

Chez nous, en francophonie, quelques rares auteurs ont parlé de ce type de comportement. J. L. Victor est l'un de ceux-là. L'anecdote qui suit est de sa plume.

Le Dr B., habitant Milan, se rendait chaque samedi soir dans un pays des environs où villégiaturait sa famille, et rentrait le lundi matin. Un de ces lundis, il fut suivi à la gare du chemin de fer et jusqu'au train qui devait le ramener en ville, par un chien qui lui appartenait, qui lui était très attaché, mais qui n'était jamais allé à Milan. Au moment où le train s'ébranlait, toutes les injonctions pour faire rester le chien sur place furent vaines: l'animal suivit le train tant que celui-ci n'eut pas acquis une trop grande vitesse, puis longtemps encore; enfin, il fut distancé et il le perdit de vue.

Quelques jours après, le docteur apprit par une lettre de sa famille que le chien n'était pas rentré au logis. Sans doute, s'en étant trop éloigné, ayant inconsidérément suivi la ligne de chemin de fer, même après avoir perdu le train de vue, s'était-il perdu.

Mais voilà que 15 jours plus tard, le docteur, ayant ouvert un soir la porte de son appartement, vit couché sur le paillasson du palier son chien, tout crotté, amaigri, qui l'accueillit en manifestant une joie débordante.

Nous regrettons toutefois, dans cette historiette, de ne pas connaître la distance franchie par le chien. Est-elle en deçà ou au-delà de la limite arbitraire fixée par Rhine et son équipe?

Chiens fantômes

L'existence des fantômes et *poltergeists* est bien connue de tous. Je parle dans un autre chapitre des réactions comportementales des chiens face à de telles apparitions sensorielles ou extrasensorielles. Mais la question qui se pose à nous dans ce chapitre est de savoir s'il existe aussi des fantômes de chiens.

Vision

Il existe des apparitions de chiens, qui surviennent chez des personnes très attachées à ce chien et qui peuvent être considérées comme des formes de télépathie de crise. Ainsi cette anecdote: Mlle M. L. Pendered raconte ce qui est arrivé à l'une de ses amies qui, avec sa mère, vit leur petit chien terrier recroquevillé sur le tapis du foyer; or, ce petit chien était sorti avec sa sœur. Une demi-heure plus tard, la sœur revenait de promenade et leur raconta que le petit terrier avait failli se noyer au moment même où son apparition était couchée sur le tapis du foyer.

Ce genre d'anecdote (celle-ci provient du *Journal of the Society for Psychical Research* de décembre 1894), nous vous en offrons dans le chapitre sur la télépathie chien-homme. Vous pouvez vous y référer.

Le fantôme-tradition

Mais, outre ces apparitions de chiens, y a-t-il de véritables fantômes de chiens?

Pour répondre à cette question, j'ai fouillé la documentation spécialisée et j'ai trouvé dans les *Proceedings of the Society for Psychical Research* (volume V) de 1888-1889 l'extrait suivant écrit par Mme Welman en 1884:

Dans la famille de ma mère, il est une tradition: avant un décès, un grand chien noir apparaît à certains de ses parents.

Je descendais les escaliers, à l'heure du dîner, un soir d'hiver 1877. Les lampes étaient allumées et comme je tournais dans un couloir qui donnait vers l'escalier, je vis un grand chien noir marcher sans bruit devant moi. Je pensai, dans la lumière diffuse du moment, qu'il s'agissait d'un de nos collies et je l'appelai: «Laddie», mais il ne se retourna pas et ne fit aucun signe. Je le suivis, me sentant mal à l'aise, et je sursautai lorsque, au bas de l'escalier, toute trace du chien avait disparu. Et pourtant toutes les portes étaient fermées.

Je n'en dis mot à personne mais y pensai souvent. Deux ou trois jours plus tard, on m'annonça la mort inattendue, en Irlande, de la sœur de ma mère, à la suite d'un accident.

Une autre annonce de décès

Ces histoires d'apparitions de chien sont curieuses et elles se répètent. Prenez cette anecdote citée par Bayless. Une dame en voyage d'affaires se repose dans sa chambre quand, brusquement, elle sursaute parce que son lit se met à bouger. Elle allume une chandelle et est épouvantée de trouver dans sa chambre un énorme chien. Celui-ci la regarde, puis saute par la fenêtre fermée. La vitre ne se brise pas. Il est 11 h du soir.

Plus tard, au retour, elle apprend qu'un ami officier s'est suicidé à l'heure même où le fantôme de chien lui est apparu.

Rex

Rex est un grand chien sans race, à poil court, appartenant à l'écrivain Albert Payson Terhune, qui narra cette histoire dans son livre intitulé *The Book of Sunnybank* ainsi que dans le *New York Herald Tribune Magazine*. Je reprends l'anecdote de R. Bayless.

Pendant les repas de ses propriétaires, Rex allait sur la véranda et regardait par la fenêtre. C'était un chien doux et affectueux qui aimait s'allonger dans le couloir, près du bureau de son maître. Comme signe distinctif, Rex avait une cicatrice sur la joue.

Rex fut tué en 1916.

Un ami, le révérend Appleton Grannis, vint voir les Terhune après un long séjour à l'autre bout du monde. Ils bavardaient dans la salle à manger lorsque, subitement, le révérend vit un chien qui les regardait à travers la vitre de la véranda. Il décrivit ce chien et cette description était celle de Rex, la cicatrice comprise.

En 1918, un autre ami, Henry A. Healy, dit également à Terhune qu'il voyait Rex (qu'il savait décédé) couché à ses pieds et qui le regardait avec amitié.

Un autre chien, Bruce, vécut dans la maison quatre ans après la mort de Rex mais refusa toujours de passer à un endroit où Rex aimait se coucher, et où le fantôme de Rex avait également été aperçu par Henry Healy.

Un fantôme bien bruyant

En 1950, Mme W. E. Dickson écrivit à la *Society for Psychical Research* (parution en octobre 1952) pour décrire l'histoire suivante: «Butch est mort il y a un an exactement à l'âge de cinq ans…»

Avant sa mort, alors que Mme Dickson n'avait jamais de mémoire rêvé, elle eut trois rêves prémonitoires dans lesquels Butch se noyait. Cela se passa trois nuits de suite, du lundi au mercredi. Le jeudi, Butch tombait malade…

Il décéda le mardi 29 mars 1949, à midi. Tout au long de la nuit suivante, je l'entendis pleurer et gémir [...]. Le lendemain matin, mon mari me dit: «Je ne sais pas si tu vas me croire, mais j'ai entendu pleurer Butch toute la nuit» [...]. Un de nos voisins vint nous dire: «Je ne sais pas si je dois vous raconter cela, mais j'ai rêvé, la nuit de mardi, que j'entendais Butch pleurer, que j'allais vers la porte, lui ouvrais et qu'il était là.» La seule différence entre nos expériences c'est que notre voisin rêvait alors que nous étions bien éveillés.

Pendant deux mois, j'entendis Butch pleurer à 5 h du matin, et mon époux l'entendit aboyer à la porte du jardin [...].

Rex et Blacky

Plus récemment, Eugène Bertrand écrivait dans *Renaître 2000* de mars-avril 1983:

Rex était un magnifique collie [...]. La veille de sa mort, notre petit cercle familial l'entourait de la même manière que l'on se rassemble au chevet d'une personne mourante [...].

Lorsque nous consacrions notre soirée à un programme télévisé, Rex nous accompagnait dans la pièce réservée à cette distraction, mais celle-ci terminée, il revenait aussitôt dans la pièce de séjour où il passait la nuit. Il avait alors pris l'habitude de toujours se coucher au même endroit, dans un espace relativement restreint pour sa taille, entre le mur et la table que séparait une chaise qu'il poussait régulièrement de son long museau.

Une huitaine de jours après sa mort, ayant abandonné le petit écran, mon épouse et moi sommes revenus nous asseoir dans cette pièce pour faire un peu de lecture. Tout à coup mon épouse voit bouger la chaise [...]. Son exclamation de stupéfaction me fait alors réaliser qu'une fraction de seconde auparavant, j'ai entendu le déplacement de la chaise [...].

Quelques semaines plus tard, nous trouvant dans une autre pièce où Rex nous rejoignait souvent, nous entendîmes encore le bruit de ses griffes sur un meuble, ainsi qu'il arrivait quand le chien, de son vivant, se grattait les poils qu'il avait abondants.

Cinq ans plus tard, nous fûmes encore trois à voir un soir, au sortir du salon, se cabrer notre chatte, tous poils ébouriffés et la gueule entrouverte qui laissait s'échapper un souffle rageur — dans l'attitude bien caractéristique de défense agressive envers un chien [...] laissez-nous penser qu'il s'agissait de la présence présumée de Rex qu'elle n'avait point connu et qui lui était donc totalement étranger.

Rex n'était pas le meilleur ami de Jacquot — un perroquet du Gabon âgé maintenant d'un quart de siècle — près de la cage duquel il venait gronder, lorsqu'il était énervé par le tapage de son compagnon; celui-ci en éprouvait alors une grande frayeur. Ici aussi, à maintes reprises et bien longtemps après la disparition du chien, Jacquot eut le même comportement apeuré, comme s'il voyait toujours Rex, menaçant, dans ses parages.

Blacky, simple bâtard, mais lui aussi très affectueux, partagea notre vie 16 années durant, emboîtant sans cesse le pas de mon épouse dans la maison. C'est ainsi qu'il avait pris l'habitude de rester allongé dans la cuisine, pendant la préparation du repas du soir et qu'il obstruait totalement le passage, contraignant de la sorte une autre chatte, d'une nature particulièrement indolente, à lui sauter par-dessus, si elle désirait entrer ou sortir de la pièce.

Eh bien, grande fut la stupeur de mon épouse lorsque, plusieurs mois après la mort du chien, occupée au même endroit à sa tâche habituelle, elle vit la chatte bondir comme pour franchir un obstacle invisible, mais apparemment réel!

L'explication d'observations aussi insolites n'est point chose aisée. D'aucuns [...] n'y verront jamais que des coïncidences. D'autres prétendront qu'il s'agit toujours de phénomènes mnémoniques ou à caractère hallucinatoire. D'autres encore — dont nous sommes personnellement — pensent qu'il puisse s'agir parfois des manifestations accidentelles et objectives d'un état de survivance [...].

Eugène Bertrand émet lui-même, avec prudence, les différentes hypothèses dont il faut tenir compte. Il semble bien, pourtant, qu'une présence invisible aux yeux humains se soit manifestée chez lui à plusieurs reprises. Est-ce réellement le fantôme d'un de ses chiens?

Jiggs, le terrier noir et blanc

Le 14 octobre 1987, Karen Browne de San Diego raconta cette aventure (citée par Brad Steiger):

«Je fus étonnée de voir mon vieux Juniper à la porte de ma chambre, le regard attiré par quelque chose qui le terrifiait dans le couloir. Il crachait et sifflait, les oreilles couchées. Moi-même, je me mis à craindre qu'il y eut quelque chose de terrifiant dans le couloir.»

Karen se lève et va voir. Et elle se met à rire en voyant que la seule chose visible dans le couloir était son petit terrier noir et blanc, Jiggs, qu'elle avait depuis 6 ans. Le chien restait là, silencieux, la tête penchée, l'air triste ou bizarre.

La sonnette d'entrée retentit à ce moment, Karen va ouvrir et fait entrer son voisin, Hank Swanson, qui porte dans les bras le corps inanimé d'un petit terrier noir et blanc. «Je suis désolé, dit Swanson. Un camion descendait la rue à toute vitesse et a heurté Jiggs. Il ne s'est même pas arrêté. J'ai tout vu. Jiggs est mort sur le coup. Il n'a pas souffert.» Karen résiste un moment, se dit que ce n'est pas possible puisqu'elle vient de voir Jiggs dans son couloir. Il ne peut pas avoir été heurté par un véhicule [...]. Karen prit le petit corps dans ses bras. C'était bien lui, son collier, ses marques, [...]. Elle se mit à pleurer doucement.

Juniper, le chat, sortit brusquement de son état de crise et se cacha derrière une armoire. Il lui a fallu plusieurs jours avant de pouvoir revenir dans le couloir sans appréhension et sans traverser le lieu hanté en quelques enjambées rapides afin de se réfugier dans la cuisine.

Beany, le beagle

Par une chaude journée du mois d'août 1953 en Iowa, Margaret Manthey, séjourne avec son chien Beany chez son amie Rose Ann dont les ses parents sont absents. Les adolescentes décident de s'offrir une glace, montent sur leurs vélos et Beany les suit. Beany est plus qu'un chien, c'est un confident, le copain des quatre cents coups, l'ami qui dort sur le lit de Margaret la nuit. Les filles roulent à fière allure. Brusquement, Margaret est heurtée de plein fouet par une voiture, elle est projetée en l'air et retombe lourdement sur la chaussée. Tout le monde s'affaire autour d'elle, Rose Ann pleure à ses côtés. Margaret reste couchée six minutes avant que l'ambulance ne l'emporte à l'hôpital, mais ces six minutes lui paraissent des heures. Elle pense que tous ses os sont cassés, mais le médecin estime qu'elle n'a qu'une simple contusion. Elle restera cependant en observation quelques jours.

Margaret pleure, voudrait ses parents ou Beany auprès d'elle. Puis, elle s'endort. Pendant la nuit, elle se réveille car elle sent quelque chose près de ses pieds. Beany est là, couché comme d'habitude. Elle lui tend les bras, Beany s'approche et lui lèche la figure. Mais Margaret sait que les chiens ne sont pas admis à l'hôpital et elle dit à Beany de retourner à la maison. Au contraire, Beany se rapproche plus d'elle et s'appuie contre elle; Margaret ferme les yeux de douleur. Elle décide d'appeler une infirmière, comptant sur sa compréhension.

L'infirmière entre avec une lampe de poche; Beany saute du lit et se cache dans un coin sombre de la pièce. Margaret explique à l'infirmière ce qui se passe et demande si quelqu'un ne peut pas ramener son chien chez elle. L'infirmière l'écoute, regarde dans toute la pièce. Le chien a disparu. L'infirmière sourit et dit à Margaret qu'elle doit avoir rêvé. Margaret regarde l'heure. Il est 4 h 30 du matin. L'infirmière lui apporte un sédatif et Margaret l'avale avec un peu d'eau. Le lendemain, ses parents sont là dès 10 h et, après les embrassades, elle demande si Beany est bien rentré à la maison.

Le regard de ses parents l'effraie. Son père lui dit qu'en arrivant à la maison vers 3 h 30 du matin, ils ont vu des traces de sang qui menaient à la place favorite de Beany. Les parents de Margaret restèrent avec lui et il décéda vers 4 h. (B. Steiger)

Et des dizaines d'autres...

On peut citer encore bien d'autres cas de la fin du XIXe siècle ou du début du XXe, mais je pense que ce serait fastidieux, car ils se ressemblent tous et datent d'une époque où le spiritisme était dans l'air du temps. Tout le monde avait son fantôme ou avait connu quelqu'un qui avait vu ou entendu un fantôme ou un *poltergeist*. Aujourd'hui, les temps sont au matérialisme et l'on ne donne plus guère de crédit à ce qu'on grouperait sous une étiquette psychiatrique de délire et d'hallucination.

Et pourtant, il suffit de rester ouvert et sans *a priori* et vous serez ébahis: ces histoires pullulent toujours. Pour un observateur objectif, il y a là-dessous une constance: l'apparition est inattendue, surprenante et marquante et l'on s'en souvient toute sa vie avec une clarté remarquable. C'est un événement extraordinaire, et dans ce dernier mot se trouve déjà le germe de l'extrasensorialité que nous avons tous en nous.

Il n'est pas question de croire ou de ne pas croire, il n'est pas question de foi ou de religion ou de credo philosophique, il est simplement nécessaire de rester ouvert aux événements de la vie.

Chiens étonnants

Avant de conclure cet ouvrage et plutôt pour rire et vous surprendre, voici quelques anecdotes empruntées, dans une adaptation libre, à Brad Steiger et Sherry Hansen.

Tramp au piano, Arli à l'ordinateur

Dans le *Denver Post,* on peut lire l'histoire suivante: «Tramp, un chien de 11 ans appartenant à Mme Wilderson de Denver, ne se fait pas prier deux fois pour sauter et s'asseoir sur la chaise, poser délicatement les pattes sur le piano, et se lancer dans une improvisation d'inspiration aussi moderne que canine. Il n'est sûrement pas question d'y reconnaître une musique connue, mais la frappe violente des touches s'accompagne d'une rythmique de la queue (qui, paraît-il, bat la mesure, mais quelle mesure?) et de ululements.»

Comme quoi, dans le domaine artistique, il ne faut pas seulement compter sur les chats peintres mais aussi sur les chiens musiciens. À quand le premier disque, Tramp?

Dans un autre domaine, un setter anglais de 6 ans appartenant à Mme Elisabeth Mann Borgese, fille de feu le Prix Nobel de littérature Thomas Mann, semble être un as du clavier, le clavier de la machine à écrire et non pas du piano.

Ce ne fut pas un talent spontané. C'est sa propriétaire qui laborieusement, jour après jour, lui a enseigné les rudiments de la frappe et de l'orthographe. Actuellement, Arli frappe les touches avec le nez. Son vocabulaire s'enrichit jour après jour. Il maîtrise déjà les mots anglais «dog» (chien) et «cat» (chat), un mot de quatre lettres très signifiant pour lui «bone» (os) et il a appris maintenant à coller deux mots ensemble, à savoir «bad dog» (vilain chien) et «go bed» (aller au lit).

Ce type de talent nous renvoie au chapitre intitulé «Chiens Parleurs».

Encore quelques années sans doute et, je l'espère de tout cœur, Arli pourra nous révéler ce qu'il pense de l'espèce humaine.

Dog-Dog, le calculateur

Ginjo Roughneck Sweettooth Chester est son nom, Dog-Dog est son surnom. C'est un cocker spaniel de 15 mois. Que fait-il? Quels prodiges réalise-t-il?

Dog-Dog calcule. En fait, il aboie les réponses à des problèmes arithmétiques. Mais les Steiger ne nous révèlent pas la complexité des problèmes que doit résoudre Dog-Dog.

Et pour le livre des records

Trudi, la douce rottweiler de la famille Williamson de Nouvelle-Zélande, fait du bateau avec ses propriétaires. Des dauphins glissent le long du bateau de 15 mètres et bondissent hors de l'eau. Les pirouettes des dauphins captivent l'attention de la famille. Les heures passent et brusquement, Aaron, le fils de 12 ans, crie: «Trudi a disparu.»

Le père, Robert Williamson, vire de bord, la recherche commence. La nuit vient. Pas de trace de la chienne. Aaron pleure.

Deux semaines plus tard, les Williamson reçoivent un incroyable appel. Un groupe de pêcheurs a aperçu un chien rottweiler sur une île déserte et rocailleuse. Ils le recueillent, trouvent sur son collier les références de la famille Williamson et téléphonent.

Après reconstitution des faits, il semble que la chienne ait parcouru 8 kilomètres à la nage, ait pris pied sur l'île par le plus grand des hasards et ait survécu sans nourriture. Le vétérinaire qui l'a examinée, Dr Murray Gibb, estime qu'il s'agit d'un miracle, aucune explication scientifique ne pouvant justifier cette endurance.

Judy, le spéléologue

Cela avait débuté comme une balade banale pour Evan Davies, 11 ans, et sa jeune chienne terrier de 10 mois, Judy. C'était un bel après-midi d'été en 1990. La promenade était familière, son trajet couvrant la surface de la ferme familiale à Powys, au pays de Galles. Judy courait après les lapins, comme d'habitude. Elle débusqua un lapin, l'effraya, s'amusa à le poursuivre. Le lapin disparut dans un terrier. Judy le suivit.

Evan resta stupéfait, bouche bée. Après un moment de stupeur, ne voyant pas revenir son chien adoré, il l'appela, l'appela encore, cria son nom, se fâcha. Rien n'y fit. En pleurs, il courut chercher de l'aide à la ferme.

Cette nuit-là, après son travail, le père d'Evan s'est joint aux recherches. Plusieurs jours et plusieurs nuits, Evan maintint la garde près de l'entrée du terrier. Les adultes tentèrent de le consoler, lui promirent une autre Judy, mais Evan croyait que son chien vivait toujours. Il ne voulait pas d'un autre chien, il voulait sa Judy.

Un mois plus tard, Malcom Davies, le père, réitéra sa proposition d'acquérir un autre chien. Evan savait que son père lui faisait une proposition sensible et raisonnable, mais au fond de lui quelque chose lui disait que Judy n'était pas partie à jamais. «Elle va revenir», disait-il. Était-ce le chagrin, un deuil pas terminé, ou une intuition, qui pourrait le dire?

Une semaine plus tard, John Gordon, un voisin, fut éveillé la nuit par des aboiements. Pourquoi John se leva-t-il au milieu de la nuit pour savoir quel chien aboyait? Qui sait? John partit à la recherche du chien et, à un demi-mille de chez lui, John Gordon vit émerger d'un terrier de lapin la tête puis les pattes d'un petit chien, amaigri et épuisé.

Rapidement, de ses mains nues, il agrandit l'ouverture et libéra le chien. Il l'emmena chez lui, lui donna un peu d'eau et de nourriture, l'embarqua dans sa voiture et se rendit derechef à la ferme de la famille Davies. Il n'hésita pas à réveiller les parents, qui apprirent la bonne nouvelle à Evan. Après 36 jours sous terre, Judy était revenue dans le monde des vivants.

Conclusion

Faut-il toujours terminer un livre par une conclusion? Celui-ci est un exemple de ces ouvrages imparfaits, pour lesquels le mot «fin» n'a aucun sens.

Quelles conclusions tirer de nos observations sinon que le chien possède un psychisme, qu'il montre un pouvoir de décision sur ses comportements? Même s'il est sous l'influence de pressions innées, ses comportements ne sont jamais autre chose qu'un complexe mélange d'instincts et d'apprentissages.

Tout comme ceux de l'homme, d'ailleurs!

Le chien témoigne qu'il a des *pensées*, des pensées sans verbe, sans paroles, sans langage de mots-symboles articulés, mais comme un cinéma d'images, de sons, d'odeurs. Les pensées subissent l'influence de ses désirs et de ses passions (hormonales et émotionnelles) et, surtout, de ses programmes, car le chien pense comme un chien et nous n'avons guère accès à son monde secret.

Le chien a une *conscience*. Conscience de lui comme étant différent de l'autre, conscience d'être chien et différent d'un homme ou d'un chat, conscience de vivre.

Si l'on parle d'extrasensorialité lorsque l'on sort des sens communs connus par la science actuelle, alors le chien a des pouvoirs *extra-sensoriels* et ceux-ci se révèlent dans des manifestations imprévisibles et étonnantes de la vie quotidienne.

Nous avons montré le *comment* des choses psychiques du chien transpersonnel, nous n'avons pas parlé du *pourquoi*. Car le *pourquoi* nous est inaccessible.

Cyrulnik écrivait à la dernière page de *Mémoire de singe et paroles d'homme*: «Il nous faudrait l'aide des animaux pour comprendre un peu mieux les humains et faire exister quelques-uns de leurs mondes psychiques infinis.

«Mais à peine ont-ils permis aux animaux d'accéder à leur culture que des hommes trop pressés les ont engagés dans leurs troupes idéologiques.

«Il n'y a déjà plus d'animaux innocents.»

Et nous avons écrit que le chien s'engageait sans doute dans la voie du *canis sapiens,* cette nouvelle espèce dérivée du *canis familiaris* qui évolue dans l'ombre de l'humanité.

L'homme est pour la personnalité d'un chien un environnement dangereux et profondément mutagène; le chien n'est déjà plus un chien; au contact des sociétés humaines, il risque de perdre son identité.

Y a-t-il gagné?

Qu'y a-t-il gagné?

Sans doute une culture! Sans doute du temps libre. Sans doute l'occasion d'évoluer en parallèle avec l'homme, dans un mariage pour le meilleur ou pour le pire!

La conclusion d'un livre appartient au lecteur.

Oui, c'est à vous qu'il revient de dire si ce livre vous a apporté quelques lumières sur des comportements inhabituels et des facultés psychiques inattendues chez nos chiens de compagnie.

La question n'est pas de savoir si vous êtes convaincus ou non de l'existence d'une conscience animale et de la présence d'une dimension psychique en dehors des normes, mais de déterminer si vous êtes interpellés, si, à la suite de ce que vous venez de lire, vous vous posez des questions, si vous remettez en cause l'image que vous avez du chien en tant qu'espèce, en tant que race, et surtout en tant qu'individu.

Si la réponse à ces questions est *oui,* alors nous aurons fait œuvre utile.

Être un chien, à quoi cela peut-il bien correspondre?

Penser chien, à quoi cela peut-il bien ressembler?

En avez-vous une meilleure idée?

Dans ce livre, je vous ai proposé des expériences. Les avez-vous essayées? Je vous ai proposé des anecdotes. Vous ont-elles fait penser à des histoires personnelles?

Si vous désirez m'envoyer les résultats de ces expériences, les anecdotes étonnantes que vous avez vécues (surtout si elles sont confirmées par des témoins objectifs), n'hésitez pas à m'en faire part, à me les envoyer à l'adresse qui suit. Peut-être cette documentation inédite fera-t-elle, avec votre autorisation, l'objet d'une nouvelle édition de *Chiens hors du commun?*

Dr J. Dehasse
129, Avenue de la Fauconnerie
1170 Bruxelles, Belgique

Bibliographie

Arkow, P., «The Humane Society and the Human-Animal Bond», in «The Human-Companion Animal Bond», dans *The Veterinary Clinics of North America, Small Animal Practice,* vol. 15, n° 2, mars 1985.

Bayless, R., *Animal Ghosts,* New York, University Books, Inc., 1970.

Bechterev, W., «Direct Influence of a Person upon the Behaviour of Animals», *Journal of Parapsychology,* vol. 13, 1949, pp. 166-176.

Bekoff, M., M. C. Wells, «The social ecology of coyotes», *Scientific American,* avril, pp. 112-120.

Bertrand, E., «Phénoménologie animale», *Renaître 2000,* n° 32, mars-avril 1983.

Besterman, T., «Report of a four months' tour of psychical investigations», *Proceedings of the Society for Psychical Research,* vol. 38, pp. 409-480.

Boone, J.A., *Des bêtes et des hommes,* Paris, Dangles, 1975 (*Kindship with all Life,* Harper and Row publ., 1954).

Bozzano, E., «Perceptions psychiques et animaux», *Annales de Sciences psychiques,* tome 15, août 1905, pp. 422-469, 629.

Brown, Donna, «Cultural Attitudes Towards Pets», «The Human-Companion Animal Bond», dans *The Veterinary Clinics of North America: Small Animal Practice,* vol. 15, n° 2, mars 1985.

Burton, M., *The Sixth Sense of Animals,* London, J. M. Dent & Sons Ltd, 1973 (traduit par Buchet et Castel, *Le sixième sens des animaux,* Paris, 1975).

Cerminara, Gina, «Missie, the psychic dog of Denver», *Psychic*, sept.-oct. 1973, pp. 37-40.

Cyrulnik, B., *Mémoire de singe et paroles d'homme*, Paris, Hachette, 1983, Pluriel 1984.

Cyrulnik, B., *La naissance du sens*, Hachette, 1991.

Dehasse, J., Colette De Buyser, *Le chat cet inconnu*, Bruxelles, Éditions Vander, 1985.

Dehasse, J., Colette De Buyser, *L'homéopathie? pour votre chien? pour votre chat?*, Bruxelles, Éditions Vander, 1987.

Dehasse, J., Colette De Buyser, *Mon chien est d'une humeur de chien*, Bruxelles, Éditions Vander, 1989; 2ᵉ édition 1991.

Dehasse, J., «Le comportement de défense anticipé pathologique et la paranoïa», *Pratique médicale et chirurgicale de l'animal de compagnie* (PMCAC), vol. 25, n° 4, pp. 445-451.

d'Espérance, Mᵐᵉ E., Acticle paru dans la revue *Light* du 22 octobre 1904, p. 511 (citée dans Bozzano, p. 433).

Dierkens, J. et Christine, *Manuel expérimental de parapsychologie*, Paris, Casterman, 1978.

Digard, J.-P., *L'homme et les animaux domestiques (anthropologie d'une passion)*, Paris, Fayard, Le temps des Sciences, 1990.

Dröscher, V.B., *Les sens mystérieux des animaux*, Paris, Éditions Robert Laffont, 1965.

Eibl-Eibesfeldt, I., *Éthologie, biologie du comportement*, Paris, Ophrys Éditions scientifiques Naturalia et biologica, 1984, traduit de *Grundiss der vergleichenden Verhaltensforschung*.

French, Cecil, «A case of apparent ESP in a dog», *Journal of Parapsychology*, vol. 13, 1949, pp. 297-298.

Frostick, J. A., «A thinking dog», *Journal of the American Society for Psychical Research*, vol. 17, 1915, pp. 99-104.

Gaddis, V. & M., *The Strange World of Animals and Pets*, New York, Cowles Book Company, Inc., 1970.

Goadby, A., «Conversing animals», *Journal A.S.P.R.,* vol. 25, avril 1931, p. 151-163; vol. 26, janv. 1932, pp. 22-30; vol. 27, mars 1933, p. 67-75; vol. 34, juin 1940, pp. 194-204.

Griffin, Donald R., *La pensée animale,* Paris, Denoël, 1988, (*Animal Thinking,* Harvard University Press, 1984).

Hansen Steiger, Sherry; Brad Steiger [17], *Mysteries of Animal Intelligence,* New York, Tom Doherty Associates (Tor), 1995.

Haynes, Renée, *The Hidden Springs: An Inquiry with ESP,* chap. II, «The psy-function in animals», Hallis & Carter, 1961.

Kindermann, H., *Lola, or the Thought and Speech of Animals,* New York, E. P. Dutton & Co. (traduit de l'allemand, accompagné d'un chapitre sur «Thinking animals» par le Dr W. Mackenzie, 1re édition allemande, 1919).

Knowles, F. W., «Some investigations into psychic healing», *Journal of the American Society for Psychical Research,* 48, 1954, p. 21.

Long, W.J., *How Animals Talk,* New York, Harper, 1919, cité dans Sheldrake.

Mackenzie, W., «Rolf of Mannheim: a great psychological problem», *Proceedings of the American Society for Psychical,* vol. 13, 1919, pp. 205-284.

McFarland, D., *Dictionnaire du comportement animal,* Paris, Éditions Robert Laffont, 1990 (*The Oxford Companion to Animal Behavior,* Oxford University Press, 1981, 1985, 1987).

Morris, R. L., «Psy and Animal Behaviour: a Survey», *Journal of the American Society for Psychical Research,* vol. 64, 1970, pp. 242-260.

Morris, R. L., «Animal and ESP», *Psychic,* sept.-oct., 1973, pp. 13-17.

Morris, R. L., «Parapsychology, biology and anpsi», dans *Handbook of Parapsychology,* New York, Édition Benjamen B. Wolman, Van Nostrand Reinhold Company, 1977, pp. 687-715.

O'Jacobson, N., *La vie après la mort,* Paris, Presses de la Cité, 1973.

Randall, J. L., «Experiments to detect a psi effect with small animals», *Journal of the American Society for Psychical Research,* vol. 46, 1971, pp. 31-39.

Randall, J. L., «Two psi experiments with gerbils», *Journal of the American Society for Psychical Research,* vol. 46, n° 751, 1972, pp. 22-30.

Randall, J. L., «Recent experiments in animal parapsychology», *Journal of the American Society for Psychical Research,* vol. 46, n° 753, 1972, pp. 124-135.

Rhine, J. B., «The present outlook on the question of psi in animals», *Journal of Parapsychology,* vol. 15, 1951, pp. 230-251.

Rhine, J. B., «Location of hidden objects by a man-dog team», *Journal of Parapsychology,* vol. 35, 1971, pp. 18-33.

Rhine J.B. et Feather Sarah R., «The study of cases of psi-trailing in animals», *Journal of Parapsychology,* vol. 26, mars 1962, n° 1, pp. 1-22.

Ryzl, Milan, «Review of biological radio, by B.B. Kazhinsky», *Journal of Parapsychology,* vol. 26, sept. 1962, pp. 577-588.

Savage, Minot, *Can Telepathy explain?,* G. P. Pulman's Sons, 1903.

Schmidt, H., «PK experiments with animals as subjects», *Journal of Parapsychology,* vol. 34, 1970, pp. 255-261.

Schul, Bill, *The Psychic Power of Animals,* London, Coronet Books, Hodder Fawcett, 1978.

Sheldrake, R., *Sept expériences qui peuvent changer le monde,* Éditions du Rocher, 1995, traduit de *Seven experiments that could change the world,* London, Fourth Estate Limited, 1994.

Stead, W. T., *Borderland, a Casebook of True Supernatural Stories,* New York, University Books, New Hyde Park, 1970, pp. 323-324.

Steiger, B.[17], *Man and Dog,* New York, Donald I. Fine, 1995.

Steiger, B. et Sherry Hansen Steiger[17], *Strange powers of pets,* New York, A. Berkley Book, 1992.

Storer, Doug, *Amazing but true Animals,* Greenwich, Conn: Fawcett Publications, 1963.

Vasiliev, L.L., *Experiments in Mental Suggestion,* Hamshire, Church Crookham, England: Institute for the Study of the Mental Images, 1963.

Victor, J. L., *Animaux surdoués, animaux médiums,* Paris, Pygmalion, Gerard Watelet, 1964.

White, Rhéa, «The investigation of behavior suggestive of ESP in dogs», *Journal of the American Society for Psychical Research,* vol. 58, 1964, pp. 250-279.

Wood, G. H. et R. J. Cadoret, «Test of Clairvoyance in a man-dog relationship», *Journal of Parapsychology,* vol. 22, 1958, pp. 29-39.

Wylder, J., *Psychic Pets — The Secret World of Animals,* New York, Perennial Library, Harper & Row, 1979.

Yonnet, P., *Jeux, modes et masses (1945-1985),* Paris, Éditions Gallimard, Bibliothèque des Sciences Humaines, 1985.

Young, Margaret, S., «The evolution of domestic pets and companion animals», dans «The human-companion animal bond», *The Veterinary Clinics of North America: Small Animal Practice,* vol. 15, n° 2, mars 1985.

Notes

1. La plupart des scientifiques n'ont rien à dire sur la conscience animale et... ne le disent pas, procurant ainsi à cette discipline une auréole de tabou. Comme l'écrivait Rupert Sheldrake en 1994: «La science institutionnelle est devenue à ce point conservatrice, limitée par les paradigmes conventionnels, que certains problèmes parmi les plus fondamentaux sont ignorés, considérés comme tabous, ou bien se voient relégués au dernier rang dans l'ordre des priorités. Ils constituent des anomalies et ne rentrent pas dans le moule. Par exemple, le sens de l'orientation des animaux migrateurs et la capacité de retrouver leur gîte dont témoignent d'autres espèces, comme les danaïdes ou les pigeons voyageurs, demeurent très mystérieux. La science orthodoxe ne les a pas encore expliqués, et peut-être n'y parviendra-t-elle jamais. Mais il s'agit là d'un domaine de recherche tenu pour secondaire.

2. Le terme «extrasensorialité» est consacré par l'usage. Mais je ne l'apprécie pas. Je préférerais parler de «perception indépendante des sens connus» (PISC), ce qui renvoie à notre connaissance actuelle et non à une connaissance absolue. Je suis persuadé que l'avenir permettra à la science de donner des explications rationnelles à ce qui paraît aujourd'hui mystérieux. Dès lors, au lieu de parler de PES (perception extrasensorielle), on parlerait plutôt de PISC. Un autre qualificatif, le mot «parapsychologie» et son adjectif dérivé «parapsychique» me font aussi dresser les cheveux sur la tête; ces mots sont horripilants. En effet, les comportements décrits dans ce livre par le biais d'anecdotes ou d'ex-

périences scientifiques ne sont parapsychologiques (littéralement «à côté de la psychologie») que parce que la grande majorité des scientifiques ne s'y intéresse pas.

3. L'aboiement des chiens modernes n'est malheureusement pas toujours un progrès; c'est même souvent une plaie sociale, une pollution urbaine regrettable.

4. Il ou elle, bien entendu. En effet, un vétérinaire sur trois est une femme, aujourd'hui.

5. Bechterev s'intéressa aussi passionnément au monde paranormal du chien; nous en parlons dans le chapitre «Télépathie homme-chien et zootélékinésie», p. 145.

6. Expériences citées par Dröscher V. B., dans *Les sens mystérieux des animaux,* p. 256 à 263.

7. Le chien est nécrophage, détritiphage et coprophage, c'est-à-dire qu'il consomme volontiers les cadavres, détritus et excréments.

8. La lettre grecque *psi* est communément utilisée pour tout ce qui touche aux phénomènes psychiques et devient en quelque sorte un synonyme de parapsychologique ou parapsychique ou encore psytronique. L'anpsi est l'étude du psi chez l'animal. Néologisme fabriqué à partir de la première syllabe des deux mots: Animal Psytronic.

9. Ces anecdotes sont reprises de différents ouvrages, tels le livre de J. L. Victor et l'article de Rhéa White.

10. L'identité du chien n'est pas innée mais s'acquiert entre trois et sept semaines par des contacts avec d'autres chiens. Voir à ce sujet *Mon chien est d'une humeur de chien.*

11. Voir à ce sujet mon livre intitulé *Le chat cet inconnu.*

12. Un chiot ne naît pas avec une identité de chien; cette identification à sa propre espèce se fait par contact obligatoire avec des chiens entre l'âge de trois et sept semaines. Pour plus de détails, référez-vous au livre que j'ai publié: *Mon chien est d'une humeur de chien.*

13. Cela confirme bien sûr notre chapitre sur l'horloge biologique.

14. Il eût été préférable d'empêcher toute olfaction en se servant, par exemple, de la méthode utilisée chez le coyote dans le chapitre intitulé «Le chien sensoriel», p. 39.

15. Références et narration dans *Le chat cet inconnu.*

16. Voir *Le chat cet inconnu.*

17. Les livres des Steiger sont très anecdotiques. Je regrette qu'ils ne donnent que très peu de références pour toutes leurs historiettes, ce qui jette quelque discrédit sur leur véracité. Le livre où Sherry Hansen est premier auteur cite cependant une bibliographie sélective de 42 auteurs et ouvrages. Ceux-ci contiennent aussi des erreurs d'éthologie de base sur le chien.

Table des matières

imprimerie gagné ltée

IMPRIMÉ AU CANADA